# Mirabilia Italiæ
## GUIDE

La Cappella degli Scrovegni a Padova

*The Scrovegni Chapel in Padua*

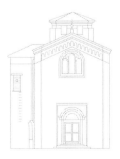

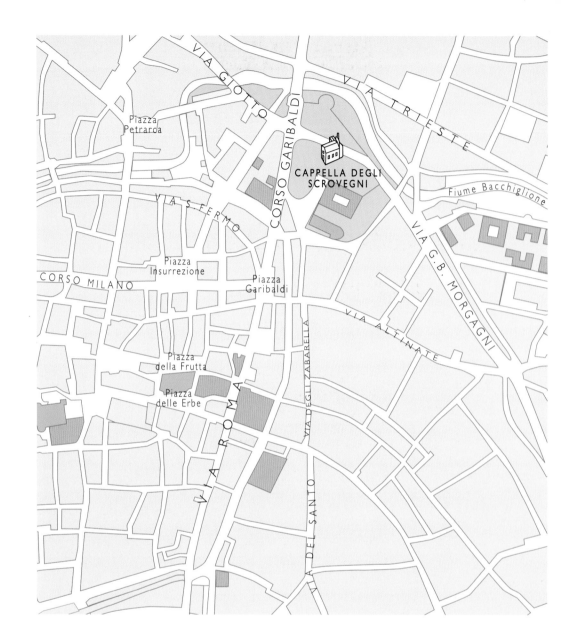

Pianta di Padova.

*Map of Padua.*

# La Cappella degli Scrovegni a Padova

## *The Scrovegni Chapel in Padua*

a cura di / *edited by*
GIANFRANCO MALAFARINA

fotografie di / *photographs by*
FILIPPO BERTAZZO, MARCO CAMPACI
GIULIANO GHIRALDINI
GABINETTO FOTOGRAFICO
DEI MUSEI CIVICI DI PADOVA

FRANCO COSIMO PANINI

AVVERTENZA
Tutte le opere illustrate e numerate in blu nelle
didascalie e negli schemi sono elencate e descritte
con un commento storico-critico nella sezione delle
**Schede** che inizia a p. 93.

NOTE
*All the works illustrated and numbered in blue in
the captions and diagrams are listed and described
with art-historical comments in the **Entries**
beginning on p. 93.*


Traduzione inglese / *English translation*
Mark Roberts, Heather Mackay

Coordinamento editoriale / *Coordinating Editor*
Rolando Bussi

Responsabile di produzione / *Head of production*
Silvano Babini

Copertina / *Cover*
Silvano Babini

Disegni e impaginazione / *Drawings and pagination*
Roberto Ghiddi, Alessandra Marrama


ISBN 88-8290-764-3

© 2005 FRANCO COSIMO PANINI EDITORE SPA
Viale Corassori, 24 - 41100 Modena - Italy
Tel. 059343572 - Fax 059344274
e-mail: info@fcp.it
www.francopanini.it

# Introduzione

*Introduction*

## La storia

Il 6 febbraio 1300, il nobile Enrico Scrovegni, ricco banchiere e uomo d'affari padovano, acquistava da Manfredo di Guecello Dalesmanini, alla periferia della città, l'area ormai degradata di un antico anfiteatro romano in rovina (l'Arena), pensando di edificarvi una sontuosa residenza di famiglia (oggi scomparsa) e una cappella votiva in suffragio del padre Rinaldo, anch'egli facoltoso banchiere, condannato da Dante Alighieri nella *Divina Commedia* alla pena dell'inferno per il peccato di usura.

Ottenuto il beneplacito dei vicini frati Eremitani e la concessione edilizia del vescovo Ottobono dei Razzi, nel 1302 si dava inizio ai lavori e il 25 marzo 1305, giorno dell'Annunciazione, veniva consacrata la Cappella, dedicata a Santa Maria della Carità.

Per adornare l'interno dell'edificio – un'unica navata rettangolare interrotta da due amboni cui sono accostati due altari, a cui si aggiunge un'abside poligonale e una sagrestia – Enrico convocò due tra i più grandi artisti del suo tempo: a Giovanni Pisano commissionò tre statue d'altare in marmo raffiguranti la *Madonna con il Bambino* e due *Angeli cerofori*, mentre per la decorazione pittorica pensò a Giotto, artista già celebre grazie al ciclo delle *Storie della vita di san Francesco* affrescato nella Basilica superiore di Assisi e ai lavori eseguiti in occasione del Giubileo del 1300 nella Basilica romana di San Giovanni in Laterano. Per volere della moglie, Jacopina, il corpo dello Scrovegni, rimpatriato da Venezia, verrà infine tumulato nell'abside della cappella.

## Il ciclo pittorico

L'attribuzione a Giotto (1267?-1337) del ciclo pittorico della Cappella degli Scrovegni, pur in assenza di una specifica documentazione relativa alla commissione da parte di Enrico Scrovegni, è suffragata da una tradizione concorde. C'è da presumere peraltro che all'atto della consacrazione definitiva, nel marzo 1305, gli affreschi fossero già in fase di ultimazione, come conferma un documento del 9 gennaio dello stesso anno relativo alla protesta dei frati eremitani contro lo Scrovegni, colpevole di aver reso abusivamente pubblico il culto nella propria cappella dopo averla arricchita con un fasto e una pompa degni più della fama terrena del committente che della gloria del

## Introduction

### History

*On the 6 February 1300, Enrico Scrovegni, the rich banker, merchant and Paduan noble bought the ruined Roman amphitheatre (the Arena) on the outskirts of the city from Manfredo di Guecello Dalesmanini.*

*His plan was to build a magnificent family palace (now destroyed) and a votive chapel in memory of his banker father Rinaldo, who was condemned by Dante Alighieri in the* Divine Commedia *to hell for his sins as a usurer.*

*In 1302 work began after the plans had been approved by the neighbouring Hermitage friars and building permission granted by Bishop Ottobono dei Razzi. On the 25 March 1305, the feast of the Annunciation, the Chapel dedicated to Our Lady of Charity was consecrated.*

*Enrico summoned the major artists of the day to decorate the interior of the chapel – a single nave with two side altars, a polygonal apse and sacristy. Giovanni Pisano was commissioned to carve three marble statues for the altar of the* Virgin and Child *and two* Candle-bearing angels, *while the pictorial decoration was entrusted to Giotto, who had achieved fame with his frescoes showing* Scenes from the Life of St Francis *in the Upper Basilica at Assisi and with his work for the Jubilee of 1300 in the Roman Basilica of St John Lateran.*

*It was Jacopina, Scrovegni's wife, who wanted his body brought back from Venice to be buried in the apse of the Chapel.*

### The mural cycle

*Although no commission survives from Enrico Scrovegni to Giotto (1267?-1337), the frescoes have long been attributed to the master. We can also presume that at the time of consecration, on March 1305 the paintings were almost finished. In a document of 9 January 1305 the Hermitage friars complain that the rich decoration of the Chapel glorifies its worldly patron rather than the Heavenly Father. When Giotto went to Padua, probably at the invitation of the friars minor, to paint the destroyed frescoes in the Basilica of St Antony, he was already well known for his work in Assisi but it was in the Scrovegni cycle, executed with the help of assistants, that he reached*

Signore. Fatto sta che quando il pittore si reca a Padova, probabilmente su invito dei frati minori, per eseguire i perduti affreschi nella Basilica del Santo, la sua fama, consacrata dal ciclo francescano di Assisi, è già ampiamente consolidata, ed è proprio nel ciclo padovano, cui il maestro presta mano con l'intervento di alcuni aiuti, che egli raggiunge il momento più alto della propria maturità artistica e spirituale.

**1**

Gli affreschi, che ricoprono interamente l'unica navata della Cappella, raffigurano episodi della vita di Cristo, dagli eventi che la precedono (storie di Gioacchino, di sant'Anna e della Vergine) fino alla Pentecoste, mentre sulla controfacciata è un grande *Giudizio universale* il cui impianto complessivo segue l'iconografia tradizionale, con la grande figura di Cristo giudice al centro, entro la mandorla iridata; in alto, schiere angeliche a zone sovrapposte; ai lati, gli Apostoli; sotto, spartite da una croce sorretta da angeli, le opposte schiere dei santi e degli eletti, a sinistra, e dei dannati e dei demoni, a destra. Particolarmente significativa, a sinistra della grande croce, la cerimonia dell'offerta, con Enrico Scrovegni in ginocchio in atto di consegnare a Santa Maria della Carità, accompagnata da una santa e da un angelo, l'edificio della Cappella, sostenuto da un frate.

La narrazione pittorica si sviluppa, secondo un preciso programma iconografico, su tre fasce sovrapposte. La "preistoria" di Cristo inizia nella zona superiore della parete destra, vicina all'arco trionfale, con le sei storie di Gioacchino, prosegue sulla parete opposta, a partire dall'entrata, con le sei storie della Vergine, continua con i due riquadri dell'*Annunciazione*, ai lati dell'arco trionfale, e con l'*Eterno* (su tavola) che affida all'arcangelo Gabriele il messaggio per Maria, e si conclude con la *Visitazione* di-

*his artistic and spiritual maturity. The frescoes completely cover the nave walls in the Chapel with Scenes from the Life of Christ until Pentecost, and the preceding events (the story of Joachim, St Anna and the Virgin). The counter-façade is covered with a vast* Last Judgement *which follows traditional iconography.*

*The large figure of Christ in Judgement is at the centre within an iridescent mandorla with choirs of angels above; the apostles are on either side; and below on either side of the Cross supported by angels, the opposing groups of Saints and the Blessed, on the left, with the Damned and demons to the right. The scene to the left of the Cross is of particular interest as it shows Enrico Scrovegni kneeling, accompanied by a female saint and angel, and supported by a friar, as he offers up his Chapel of Our Lady of Charity.*

*The narrative cycle is developed in three registers. The events before Christ's birth begin in the upper row on the right wall, near the triumphal arch, with six scenes from the Life of Joachim and follow on the opposite wall, starting from the entrance, with six scenes from the Life of the Virgin, and continue with the two Annunciation scenes on either side of the triumphal arch and with* God the Father *(panel), charging Archangel Gabriel to visit Mary and concludes with the* Visitation *under the image of the Virgin Annunciate.*

*The first five scenes dealing with the life of Christ (from the* Nativity *to the* Massacre of the Innocents*) begin in the middle row on the right wall, starting from the triumphal arch, while from the entrance, on the opposite side, are six episodes (from* Jesus among the doctors *to the* Expulsion of the merchants from the Temple*); to the left of the arch is the* Betrayal by Judas. *The narrative continues in*

pinta sotto l'immagine della Vergine annunciata. Le prime cinque storie della vita di Gesù (dalla *Natività* alla *Strage degli innocenti*) iniziano nella fascia mediana della parete destra, partendo dall'arco trionfale, mentre a partire dall'ingresso, sulla parete opposta, vi sono altri sei episodi (da *Gesù fra i dottori* alla *Cacciata dei mercanti dal tempio*); a sinistra dell'arco figura il *Tradimento di Giuda*. Il racconto prosegue nella zona inferiore della parete destra, muovendo dall'arco, con cinque storie della Passione (dall'*Ultima cena* alla *Flagellazione*) e sul muro opposto, a partire dall'entrata, con le ultime sei storie (dall'*Andata al Calvario* alla *Pentecoste*). I vari riquadri della ciclo, contornati da eleganti incorniciature di gusto cosmatesco, sono scanditi verticalmente da fasce decorative affrescate con ornati e composizioni polilobate recanti busti di *Santi* ed episodi dell'Antico Testamento, intesi quale anticipazione del Nuovo affrescato nelle singole scene. Nello zoccolo dipinto a finto marmo che corre alla base del ciclo, lungo le due pareti della navata, sono inserite figurazioni allegoriche a monocromo delle sette *Virtù* e dei sette *Vizi*, mentre la volta a botte simula un cielo stellato spartito da fasce trasversali e decorato da medaglioni con *Cristo*, la *Vergine*, sette *Profeti* e *San Giovanni Battista*.

## Il capolavoro di Giotto

Nel ciclo della Cappella padovana, il linguaggio del maestro, rispetto agli affreschi di Assisi, si è fatto più conciso, asciutto, sintetico. Al paesaggio, fatto di blocchi netti e squadrati, quasi geometrici, fanno riscontro figure dai volumi serrati, ravvolte in ampi panneggi ricadenti in morbide pieghe. L'essenzialità e la misura dei gesti, una drammaticità tesa e contenuta, una più omogenea fusione di luce, colore e chiaroscuro, costituiscono caratteri comuni a ogni riquadro, dalla prima scena di Gioacchino, in cui predomina l'assorta meditazione sul tema della natura, alle storie della Madonna, folte di personaggi e animate da gustose osservazioni di costume, alle storie di Cristo, ove, col procedere degli avvenimenti, il tono della narrazione da pacato si fa incalzante, per chiudersi con intensa ispirazione drammatica. Celebri fra tutto sono gli episodi della *Cattura*, dove sulla turba degli armati domina un concitato movimen-

*the lower register on the right, from the arch, with five scenes from the Passion (from the* Last Supper *to the* Flagellation*) and on the opposite wall, from the entrance, with the last six scenes (from the* Road to Calvary *to* Pentecost*). The various scenes in their elegant Cosmatesque frames, are divided by vertical decorative bands enclosing images of the* Saints *and episodes from the Old Testament, seen as anticipating those in the New Testament frescoed in the large individual scenes. Below the scenes along both walls are allegorical monochrome depictions of the seven* Virtues *and seven* Vices*; the vault is covered in a starry sky with decorative bands and medallions of* Christ, *the* Virgin, *seven* Prophets *and St John the Baptist.*

## Giotto's masterpiece

*Giotto's pictorial language in the cycle in Padua, when compared to Assisi, is more concise, clear and synthetic. The simple, almost geometrical blocks of landscape stand behind solid figures that are draped in soft-folding garments. The essence of each gesture is conveyed, the drama is evident but controlled; light, colour and chiaroscuro are blended and balanced, from the first scene with Joachim, with its meditation on the natural world, to the scenes recounting the Life of Mary, crowded with figures and enlivened by the close observation of dress and manners. In the scenes from the Life of Christ as the narrative proceeds the tone heightens ending in highly dramatic episodes. Most celebrated of these is the* Arrest of Christ, *with the conflicting diagonal movement of the lances, torches, and sticks, and the* Resurrection *in which the dreamy atmosphere with the sleeping soldiers prefigures the art of Piero della Francesca.*

*But each scene, in every detail, reflects Giotto's new pictorial language, as in, for example, the* Meeting at the Golden Gate *where the group of women in the arch are clearly depicted as individuals in their expressions, dress and manner. In the* Nativity, *the first scene devoted to the Life of Christ, Giotto closely follows traditional iconography, but he gives the figures a deep humanity: the anxious look of the woman on the left, the Virgin's maternal and protective gaze, unusually depicted with her head uncovered,*

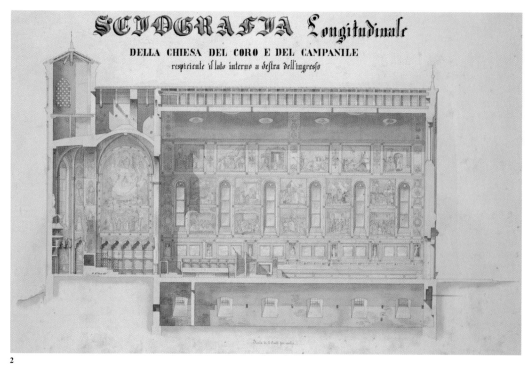

2

to diagonale di picche, torce e randelli, e quello della *Resurrezione*, in cui nel clima trasognato e nelle figure dei soldati riversi e addormentati sono state notate sorprendenti anticipazioni dell'arte di Piero della Francesca.

Ma ogni riquadro, ogni dettaglio, ogni schema compositivo recano inconfondibile la traccia del nuovo linguaggio pittorico giottesco, come per esempio, nell'*Incontro alla Porta Aurea*, il gruppo di donne che si assiepa al centro dell'arcone, ove il maestro indugia con compiaciuta attenzione non solo sulle singole fisionomie, animate dall'espressione degli affetti, ma anche su note mondane e di costume come le vesti e le acconciature. Anche nella *Natività*, prima della serie dedicata alle storie di Gesù, Giotto segue puntualmente l'iconografia tradizionale, ma ciò su cui insiste è lo spessore umano dei personaggi, con lo sguardo vigile della donna a sinistra, lo slancio materno e protettivo della Vergine, insolitamente ritratta con il capo scoperto, e la toccante figura di

*and the touching figure of Joseph. The* Flight into Egypt *is also tender and poetic, with the harmonious interplay of the landscape and figures. The central rocky mass, for example, highlights the position of the* Virgin and Child, *their fragility and isolation, while the rock decreases in size towards the right as it accompanies the travellers and gives depth to the composition. The* Massacre of the Innocents *is more concentrated and dramatic and Giotto in unprecedented fashion is able to move the observer with the immediacy and power he brings to a distant and almost legendary episode.*

*The* Marriage Feast of Cana *is also enriched with anecdotal narrative detail, set in the open in a timeless pavilion. The rounded belly of the master of the feast provides a humorous and memorable incident. Giotto's unrivalled ability to convey complex human emotions is apparent in the* Lamentation, *were all are drawn together to intensify the narrative power of the scene. This unity is not obtained by the use of*

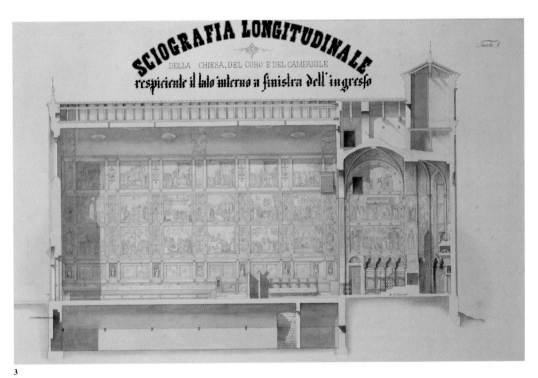

3

san Giuseppe assopito ai piedi della greppia. Altissima è anche la qualità poetica della *Fuga in Egitto*, ove si resta colpiti in modo particolare dall'armonico accordo tra gli elementi paesaggistici e le figure umane. Il volume della rupe centrale, ad esempio, riecheggia la posizione della Madonna col Bambino, dilatandone l'imponenza e l'isolamento, mentre il degradare della roccia verso destra accompagna il movimento dei viaggiatori e ne sottolinea la scansione in profondità. Più concitata e drammatica è la scena con la *Strage degli innocenti*, forse l'opera in cui per la prima volta la pittura italiana riesce ad attualizzare, e a rendere flagrante di immediatezza, un episodio remoto e quasi leggendario, smuovendo a fondo l'animo dell'osservatore.

Ricca di spunti aneddotici e narrativi è anche la scena delle *Nozze di Cana*, ambientata all'aperto entro un padiglione completamente svincolato da qualsiasi precisa connotazione architettonica. Pungente, in particolare, vi appare il ritratto del corpulento be-

*any rigid symmetrical scheme but rather through parallel and corresponding elements: the three figures bent over Christ, the angels repeating the human gestures, the two groups of observers gathered around the figures of the Virgin and Christ, whose faces are the focal point of the narrative.*

*In the* Raising of Lazarus, *two episodes are brought together in the movement of Christ's arm, and his act of benediction is carried through the outstretched hand of the figure in the green robe. In the* Crucifixion, *on the other hand, we can appreciate the innovations introduced by Giotto into the iconographic scheme codified by his master Cimabue in Assisi. Giotto's* Crucifixion *is more true to life in the spatial arrangement, in the anatomy of the figures and in the pervasive atmosphere of grief. The powerful dramatic tension is centred on the contrasting groups of figures on either side of the Cross. To the right the indifference of the soldiers is intensified by their gestures as they discuss the division of Christ's*

vitore sulla destra, indagato con una vena di sottile umorismo. La singolare capacità di Giotto di legare in modo fluido e convincente le figure e i rispettivi moti dell'animo traspare poi in modo evidente nel *Compianto*, un complesso unitario in cui i molteplici elementi del racconto si integrano in una serrata dimensione narrativa. È interessante osservare come questa unità sia raggiunta non attraverso rigidi schemi simmetrici, quanto piuttosto mediante semplici corrispondenze e richiami: le tre figure accovacciate intorno a Cristo, gli angeli che ripetono gli stessi gesti delle figure umane, i due gruppi contrapposti di spettatori raccolti attorno alla Madonna e al Cristo, i cui volti fungono da punto focale del racconto.

Nella *Resurrezione di Lazzaro*, il compito di riunire i due momenti narrativi della scena è affidato alla mano di Cristo, che sporgendosi nell'atto della benedizione trova risposta nella mano del personaggio con la tunica verde. Nella *Crocifissione*, invece, si può cogliere appieno il grado di innovazione introdotto da Giotto in uno schema iconografico codificato ad Assisi dal suo maestro Cimabue. Rispetto al prototipo, infatti, qui tutto è più vero, sia nell'impostazione dello spazio che nell'anatomia delle figure e nel sentimento tragico di cui vive l'episodio. La forte tensione drammatica dell'evento va colta nel forte contrasto psicologico dei due gruppi di personaggi ai lati della Croce. A destra, l'indifferenza dei soldati viene riassunta dai loro gesti impegnati nell'atto di dividere la tunica di Cristo, mentre a sinistra il volto inaridito della Maddalena, il corpo della Vergine, abbandonato alla sofferenza, gli sguardi delle pie donne e di san Giovanni, manifestano i diversi gradi di intensità di un dolore che gli angeli, in alto, dilatano in una dimensione cosmica.

## Il presbiterio

I dipinti del presbiterio sono di epoca più tarda. Due *Madonne del latte* sono attribuite a Giusto de' Menabuoi, mentre il resto della decorazione (1320 ca) si deve al cosiddetto "Maestro del coro Scrovegni", autore anche nella navata di una raffigurazione composta con *Cristo in gloria*, l'*Orazione nell'orto degli ulivi*, la *Flagellazione* e busti di *Sante*.

*robe while to the left the Magdalene's wrung expression, the body of the Virgin collapsing under the weight of her grief, the faces of the holy women and of St John, offer a range of human suffering made cosmic when raised and reverberated through the angels.*

### The presbytery

*The paintings in the presbytery are later. Two paintings of the* Virgin of the Milk *are attributed to Giusto de' Menabuoi, while the rest of the decoration (ca. 1320) is by the master known as the "Master of the Scrovegni Choir", who also painted a* Christ in glory, *an* Agony in the garden, *a* Flagellation *and busts of* Female Saints *in the nave. he painted six scenes from the* Life of the Virgin *on the north and south walls above the choir; the other paintings are of the* Communion of the Magdalene, Christ and the Magdalene *and* Saints.

*But the most striking element in the presbytery is the sculpture. The highly expressive* Virgin and Child *between two candle-bearing angels is the work of Giovanni Pisano (ca. 1245 -post 1314) and his workshop. The base of the statue of the Virgin and Child bears an inscription on three sides, in elegant gothic lettering by Pisano himself:* DEO GRATIAS + OPUS / IOH(ANN)IS MAGISTRI NICOLI / DE PISIS *["We give thanks to God + the work of Giovanni di Maestro Nicola da Pisa"].*

*The group has been in its present position since the end of the 19th century; previously it was in the far wall of the apse, on a narrow shelf above the tomb of Enrico Scrovegni, as its crowning feature.*

*These statues are stylistically close to the work carried out in Pisa between 1297 (when Giovanni became head of the Cathedral Works) and about 1310, during which time he made the pulpits in Pistoia (1297-1301) and Pisa (1302-1310), and the group for the doorway of the Baptistery in Pisa (circa 1305).*

*It seems probable that the statues were commissioned by Enrico Scrovegni at about the same time as the frescoes were given to Giotto. The tomb of Enrico Scrovegni (ca. 1330-1340), by the Master of the Scrovegni tomb, stands against the far wall of the polygonal apse. Two angels pull back the curtain on*

Sulle pareti settentrionale e meridionale, sopra al coro, l'artista ha dipinto sei *Storie della Vergine*; gli altri dipinti raffigurano *La comunione della Maddalena*, *Cristo e la Maddalena* e *Santi*.

Ma ciò che emerge con grande potenza nel presbiterio è la scultura. A Giovanni Pisano (1245 ca-*post* 1314) e alla sua bottega si deve infatti una *Madonna con il Bambino tra due angeli cerofori* (1305 ca) di grande potenza espressiva.

La base dell'immagine della Madonna col Bambino reca la sottoscrizione apposta da Giovanni Pisano su tre lati, in eleganti lettere gotiche, che recita testualmente: DEO GRATIAS + OPUS / IOH(ANN)IS MAGISTRI NICOLI / DE PISIS ["rendiamo grazie a Dio + opera di Giovanni di Maestro Nicola da Pisa"].

La collocazione attuale risale alla fine dell'Ottocento; in precedenza, come attestano fonti e disegni, il gruppo si trovava nella parete terminale dell'abside, poggiato su uno stretto ripiano posto al di sopra della tomba di Enrico Scrovegni, come coronamento della stessa.

Dal punto di vista stilistico, le statue di Giovanni si legano strettamente alla sua operosità pisana conosciuta tra il 1297 (quando assume l'incarico di capomaestro dell'Opera del Duomo di Pisa) e il 1310 circa, e all'interno della quale si collocano i pergami di Pistoia (1297-1301) e di Pisa (1302-1310), e il gruppo del portale del Battistero pisano (1305 circa). Sembra quindi perfettamente condivisibile l'ipotesi che vuole le statue commissionate direttamente da Enrico Scrovegni in tempi vicinissimi agli affreschi giotteschi.

Sul fondo del presbiterio si staglia il monumento funebre di Enrico Scrovegni (1330-1340 ca), che si deve al cosiddetto "Maestro della tomba Scrovegni".

Sul sarcofago è collocata la camera funeraria incorniciata da due figure di angeli alati reggicortina. Nella parte centrale della camera si trova la figura giacente di Enrico, piegata sul fianco destro, col capo poggiante su un cuscino. Sotto la tomba di Enrico è collocato un secondo sarcofago di minori dimensioni (non visibile dalla navata), poggiante su due mensole.

Questa tomba, priva di iscrizioni, è da identificare con quella della seconda moglie di Enrico, Jacopina d'Este, in quanto la sua posizione coincide per-

4

*either side of the sarcophagus to reveal the figure of Scrovegni lying on his right side with his head on a cushion.*

*There is a second, smaller tomb below Scrovegni's (not visible from the nave), resting on two stone brackets. The tomb, with no inscription is probably that of Jacopina d'Este, Enrico's second wife, as it*

*11*

fettamente con quanto previsto per la propria sepoltura dalla stessa Jacopina nel suo testamento del 1365.

## La sagrestia

La parete ovest della sagrestia della Cappella ospita un grande tabernacolo in pietra, di forme gotiche semplificate, sormontato da una cuspide triangolare recante al centro lo stemma della famiglia Scrovegni. All'interno della nicchia si trova la statua (h cm 180 ca) di Enrico Scrovegni, come asserisce l'iscrizione in caratteri gotici: *Propria figura Domini Enrici Scrovegni militis de larena.*

La statua presenta Enrico in piedi, con le mani giunte in atto di preghiera, il volto con lo sguardo rivolto, verso l'alto. Qualunque sia stata la sua funzione originale, la statua dovrebbe essere stata eseguita come ritratto dal vivo intorno al 1305, sicuramente non dal maestro responsabile della tomba di Enrico (posteriore di almeno vent'anni), ma più probabilmente da uno scultore dell'Italia centrale identificabile forse con Marco Romano, attivo anche in Veneto.

*stands in the place designated by Jacopina herself in her will of 1365.*

## The sacristy

*There is a large, gothic, stone tabernacle on the west wall of the sacristy surmounted by a triangular pinnacle bearing the arms of the Scrovegni. The statue (ca. 180 cm) within the niche has been identified as Enrico Scrovegni, an identification confirmed by the inscription in gothic characters:* Propria figura Domini Enrici Scrovegni militis de larena.

*Enrico is shown standing with his hands joined in prayer, his face lifted upwards, gazing directly in front of him.*

*Whatever its original purpose the statue must have been done from life in about 1305, by an earlier master than the one responsible for the tomb, executed about twenty years later. He probably came from central Italy and shows some of the characteristics of Marco Romano, who was also active in the Veneto.*

# La Cappella degli Scrovegni a Padova

## *The Scrovegni Chapel in Padua*

## Illustrazioni

## *Photographs*

Spaccato prospettico
della Cappella degli Scrovegni
da sud-ovest (Andrea Rui).

*Perspective section
of the Scrovegni Chapel
from the south-west (Andrea Rui).*

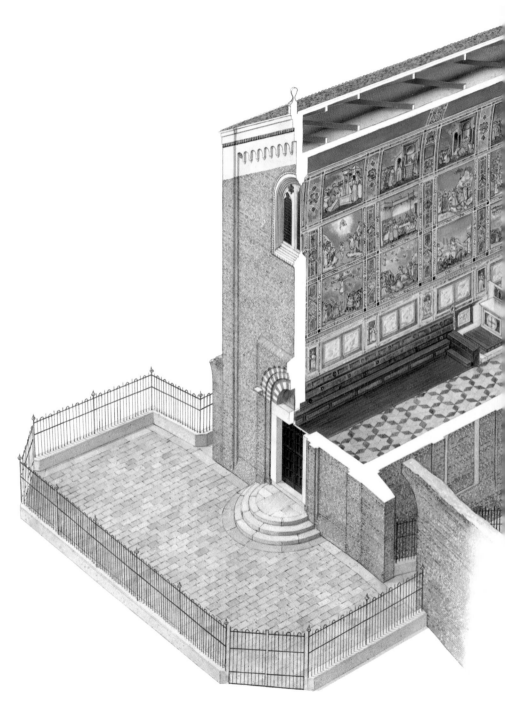

# L'esterno

All'esterno la Cappella si presenta come un parallelepipedo in mattoni a vista, coperto con il tetto a due falde, affacciato nello spazio interno dell'Arena. Ad oriente un corpo più stretto con un'abside poligonale racchiude il coro e il presbiterio; una loggia campanaria sporge più in alto. A settentrione sono addossati la sagrestia con la loggia soprastante e il nuovo prisma in vetro nero per l'ingresso dei visitatori.

# *The exterior*

*The outside of the Chapel is rectangular and is built of brick. It has a sloping roof, and the façade faces towards the Arena. To the east a narrower building with a polygonal apse houses the choir and the presbytery; above is the loggia of the bell tower. To the north is the sacristy with an upper loggia, and visitors now gain access from an entrance in the new structure of black glass.*

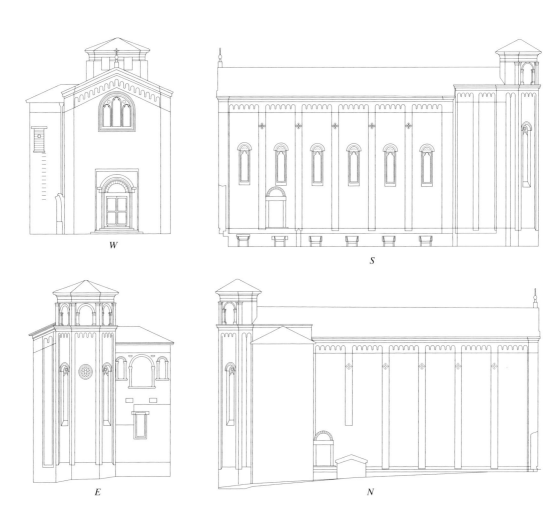

W

S

E

N

1

1 La Cappella degli Scrovegni da sud-ovest.

1 *The Scrovegni Chapel from the south-west.*

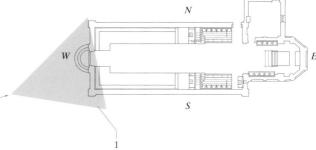

2

3

**2** Il lato sud.
**3** Il lato nord.

**2** *The south side.*
**3** *The north side.*

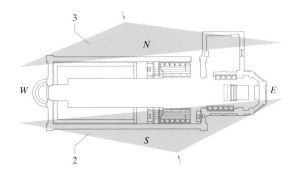

4

5

4 Il presbiterio da sud-est.
5 Il presbiterio, la sagrestia
e la loggia soprastante da nord-est.

4 *The presbytery from the south-east.*
5 *The presbytery, the sacristy
and the loggia above the sacristy
from the north-east.*

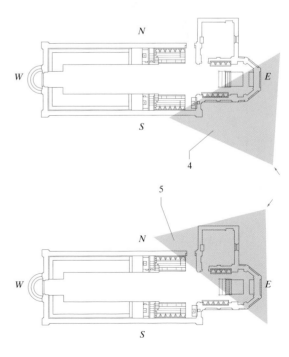

# Gli affreschi di Giotto nella navata

Gli affreschi realizzati da Giotto e dalla sua bottega rivestono completamente le pareti e la volta dell'aula centrale della Cappella.

I due grandi cicli con le *Storie della Vergine e di Cristo* occupano le pareti sud e nord e l'arco trionfale. La controfacciata ospita il grandioso *Giudizio Universale*, mentre le raffigurazioni di *Vizi* e *Virtù*, intervallate da specchiature di finti marmi, decorano la parte inferiore delle pareti lunghe della navata.

*S*

*E*

**Storie della Vergine (1303-1305).**
8  La cacciata di Gioacchino dal tempio.
10  Gioacchino fra i pastori.
12  L'annuncio ad Anna.
14  Il sacrificio di Gioacchino.
16  Il sogno di Gioacchino.
18  L'incontro alla Porta Aurea.
20  La nascita della Vergine.
22  L'ingresso di Maria al tempio.
24  La consegna delle verghe.
26  La preghiera per la fioritura delle verghe.
28  Lo sposalizio della Vergine.
30  Il corteo nuziale della Vergine.
32  Dio Padre incarica l'arcangelo Gabriele e l'Annunciazione.
33  Dio Padre in trono.

**Storie di Cristo (1303-1305).**
34  La Visitazione.
35  La Natività.
36  L'adorazione dei Magi.
38  La presentazione al tempio.
40  La fuga in Egitto.
42  La strage degli innocenti.
44  Gesù fra i dottori.
45  Il Battesimo di Cristo.
47  Le nozze di Cana.
49  La resurrezione di Lazzaro.
51  L'ingresso a Gerusalemme.
53  La cacciata dei mercanti dal tempio.
55  Il tradimento di Giuda.
56  L'ultima Cena.
58  La lavanda dei piedi.
60  La cattura di Cristo.
62  Cristo davanti al Sinedrio.
64  Cristo deriso.
66  L'andata al Calvario.
67  La Crocifissione.
69  Il compianto sul Cristo morto.
71  Noli me tangere.
73  L'Ascensione.
75  La Pentecoste.

**Allegorie delle Virtù e dei Vizi (1305 ca).**
77  Prudenza.
78  Stoltezza.
79  Fortezza.
80  Incostanza.
81  Temperanza.
82  Ira.
83  Giustizia.
84  Ingiustizia.
85  Fede.
86  Infedeltà.
87  Carità.
88  Invidia.
89  Speranza.
90  Disperazione.

76  Il Giudizio Universale (1303-1305).

91, 92  Coretti (1304 ca).

# The Giotto's frescoes in the nave

The frescoes painted by Giotto and his workshop completely cover the walls and vault of the central portion of the Chapel.

The two major cycles of Scenes from the life of the Virgin and of Christ *occupy the south and* north walls, and the triumphal arch. The great Last Judgement *fills the counter-façade, while the representations of* Virtues *and* Vices, *alternating with panels of fictive marble, decorate the lower part of the walls along the nave.*

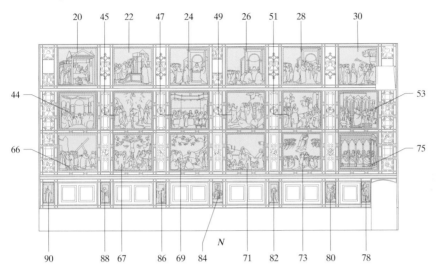

*W*

**Scenes from the life of the Virgin (1303-1305).**

8 Joachim expelled from the Temple.
10 Joachim among the shepherds.
12 The annonciation to Anna.
14 The sacrifice of Joachim.
16 Joachim's dream.
18 The meeting at the Golden Gate.
20 The Birth of the Virgin.

22 The Virgin's entry in the Temple.
24 The distribution of the rods.
26 The prayer for the flowering.
28 The Betrothal of the Virgin.
30 The wedding procession of the Virgin.
32 God the Father charges the Archangel Gabriel.
33 God the Father enthroned *and the* Annonciation.

**Scenes from the life of Christ (1303-1305).**

34 The Visitation.
35 The Nativity.
36 The Adoration of the Magi.
38 The Presentation in the Temple.
40 The Flight into Egypt.
42 The Massacre of the Innocents.
44 Jesus among the doctors.
45 The Baptism of Christ.
47 The Marriage Feast of Cana.
49 The Raising of Lazarus.
51 Christ's Entry into Jerusalem.
53 The Expulsion of merchants from the Temple.
55 The Betrayal by Judas.
56 The Last Supper.
58 The Washing of the feet.

60 The Arrest of Christ.
62 Christ before the Sanhedrin.
64 Mocking of Christ.
66 The road to Calvary.
67 The Crucifixion.
69 The Lamentation over the dead Christ.
71 Noli me tangere.
73 The Ascension.
75 The Pentecost.

**Allegories of Virtues and Vices (ca. 1305).**
77 Prudence.
78 Foolishness.
79 Fortitude.
80 Inconstancy.
81 Temperance.
82 Anger.
83 Justice.
84 Injustice.
85 Faith.
86 Infidelity.
87 Charity.
88 Envy.
89 Hope.
90 Despair.

76 The Last Judgement *(1303-1305).*

*91, 92 Two small choirs (ca. 1304).*

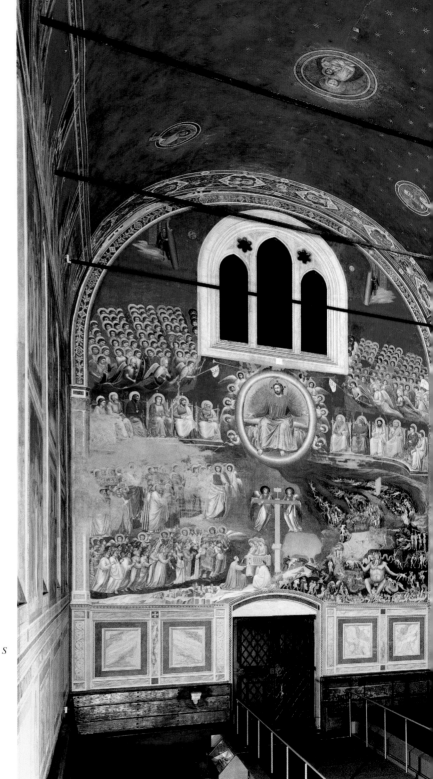

**6** L'interno
da sud-est.

*6* *The interior from*
*the south-east.*

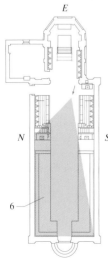

7 L'interno
da sud-ovest.

7 *The interior from
the south-west.*

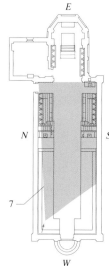

8

9

**Navata. Parete sud.**
Giotto (1267?-1337).
*Storie della Vergine* (1303-1305).
8, 9 *La cacciata di Gioacchino dal tempio*, e particolare.

*Nave. South wall.*
Giotto (1267?-1337).
Scenes from the life of the Virgin *(1303-1305)*.
8, 9 Joachim expelled from the Temple, *and detail.*

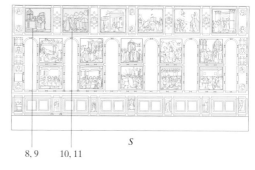

S

8, 9    10, 11

10

**Navata. Parete sud.**

Giotto (1267?-1337).
*Storie della Vergine* (1303-1305).
**10, 11** *Gioacchino fra i pastori,*
e particolare.

**Nave. South wall.**

*Giotto (1267?-1337).*
Scenes from the life of the Virgin
*(1303-1305).*
*10, 11* Joachim among
the shepherds, *and detail.*

11

12

13

**Navata. Parete sud.**
Giotto (1267?-1337).
*Storie della Vergine* (1303-1305).
**12, 13** *L'annuncio ad Anna*, e particolare.

***Nave. South wall.***
*Giotto (1267?-1337).*
Scenes from the life of the Virgin *(1303-1305).*
**12, 13** The annonciation to Anna, *and detail.*

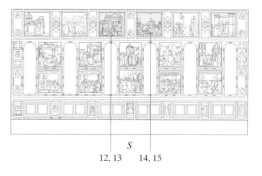

S

12, 13    14, 15

14

**Navata. Parete sud.**

Giotto (1267?-1337).
*Storie della Vergine* (1303-1305).
14, 15 *Il sacrificio di Gioacchino,*
   e particolare.

*Nave. South wall.*

*Giotto (1267?-1337).*
Scenes from the life of the Virgin
*(1303-1305).*
*14*, 15 The sacrifice of Joachim,
   *and detail.*

15

29

16

17

**Navata. Parete sud.**
Giotto (1267?-1337).
*Storie della Vergine* (1303-1305).
16, 17 *Il sogno di Gioacchino*, e particolare.

**Nave. South wall.**
Giotto (1267?-1337).
Scenes from the life of the Virgin *(1303-1305)*.
*16, 17* Joachim's dream, *and detail*.

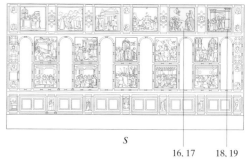

S

16, 17    18, 19

18

**Navata. Parete sud.**

Giotto (1267?-1337).
*Storie della Vergine* (1303-1305).
18, 19  *L'incontro alla Porta Aurea,*
  e particolare.

**Nave. South wall.**

*Giotto (1267?-1337).*
Scenes from the life of the Virgin
*(1303-1305).*
*18, 19* The meeting at the Golden
  Gate, *and detail.*

19

20

21

### Navata. Parete nord.
Giotto (1267?-1337).
*Storie della Vergine (1303-1305).*
**20, 21** *La nascita della Vergine*, e particolare.

### Nave. North wall.
Giotto (1267?-1337).
Scenes from the life of the Virgin *(1303-1305).*
**20, 21** The Birth of the Virgin, *and detail.*

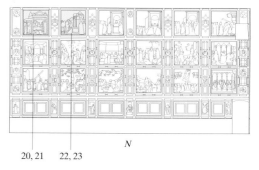

*N*

20, 21    22, 23

22

**Navata. Parete nord.**

Giotto (1267?-1337).
*Storie della Vergine (1303-1305).*
22, 23 *L'ingresso di Maria
al tempio,* e particolare.

*Nave. North wall.*

Giotto (1267?-1337).
Scenes from the life of the Virgin
(1303-1305).
22, 23 The Virgin's entry in the
Temple, *and detail.*

23

24

25

**Navata. Parete nord.**
Giotto (1267?-1337).
*Storie della Vergine* (1303-1305).
24, 25 *La consegna delle verghe*, e particolare.

*Nave. North wall.*
Giotto *(1267?-1337)*.
Scenes from the life of the Virgin *(1303-1305)*.
24, 25 The distribution of the rods, *and detail.*

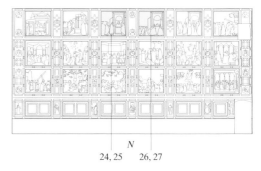

*N*

24, 25    26, 27

26

**Navata. Parete nord.**

Giotto (1267?-1337).
*Storie della Vergine* (1303-1305).
26, 27 *La preghiera per la fioritura
delle verghe, e particolare.*

*Nave. North wall.*

*Giotto (1267?-1337).*
Scenes from the life of the Virgin
*(1303-1305).*
26, 27 The prayer for the flowering
of the rods, *and detail.*

27

28

29

**Navata. Parete nord.**

Giotto (1267?-1337).
*Storie della Vergine* (1303-1305).
28, 29 *Lo sposalizio della Vergine, e particolare.*

*Nave. North wall.*

Giotto (1267?-1337).
Scenes from the life of the Virgin *(1303-1305).*
28, 29 The Betrothal of the Virgin, *and detail.*

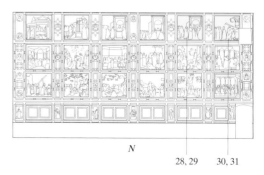

N

28, 29    30, 31

30

**Navata. Parete nord.**

Giotto (1267?-1337).
*Storie della Vergine* (1303-1305).
30, 31 *Il corteo nuziale della
Vergine*, e particolare.

**Nave. North wall.**

*Giotto (1267?-1337).*
Scenes from the life of the Virgin
*(1303-1305).*
*30, 31* The wedding procession
of the Virgin, *and detail.*

31

**Navata. Parete est.**
**Arco trionfale.**

Giotto (1267?-1337).
32 *Storie di Cristo* (1303-1305).
In alto: *Dio Padre incarica*
*l'arcangelo Gabriele.*
In basso: *L'Annunciazione.*

**Nave. East wall.**
**Triumphal Arch.**

Giotto (1267?-1337).
32 Scenes from the life of Christ
*(1303-1305).*
*Above:* God the Father charges
the Archangel Gabriel.
*Below:* The Annunciation.

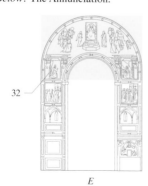

32

E          32

34

**Padova. Musei Civici.**
Giotto (1267?-1337).
*Storie di Cristo (1303-1305).*
33 *Dio Padre in trono.*

**Navata. Parete est.**
**Arco trionfale.**
34 *La Visitazione.*

*Padua. Civic Museums.*
*Giotto (1267?-1337).*
Scenes from the life of Christ *(1303-1305).*
33 God the Father enthroned.

*Nave. East wall.*
*Triumphal Arch.*
34 The Visitation.

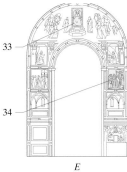

33

34

*E*

35

**Navata. Parete sud.**

Giotto (1267?-1337).
*Storie di Cristo* (1303-1305).
35 *La Natività.*
36, 37 *L'adorazione dei Magi,*
  e particolare.

**Nave. South wall.**

*Giotto (1267?-1337).*
Scenes from the life of Christ
*(1303-1305).*
35 The Nativity.
36, 37 The Adoration of the Magi,
  *and detail.*

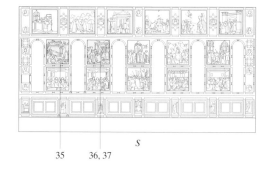

35      36, 37                    S

36

37

43

38

39

**Navata. Parete sud.**
Giotto (1267?-1337).
*Storie di Cristo* (1303-1305).
38, 39 *La presentazione al tempio,*
  e particolare.
40, 41 *La fuga in Egitto,*
  e particolare.

**Nave. South wall.**
Giotto (1267?-1337).
Scenes from the life of Christ *(1303-1305).*
38, 39 The Presentation in the Temple,
  *and detail.*
40, 41 The Flight into Egypt,
  *and detail.*

40

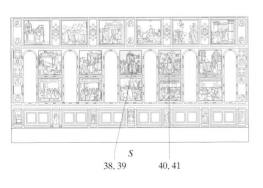

S

38, 39     40, 41

41

45

42

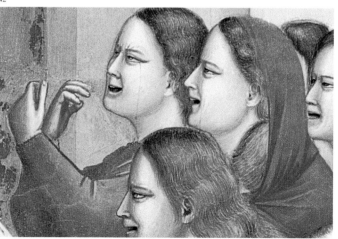

43

**Navata. Parete sud.**
Giotto (1267?-1337).
*Storie di Cristo* (1303-1305).
42, 43 *La strage degli innocenti,*
e particolare.

*Nave. South wall.*
Giotto (1267?-1337).
Scenes from the life of Christ
*(1303-1305).*
42, 43 The Massacre of the
Innocents, *and detail.*

*46*

44

**Navata. Parete nord.**
Giotto (1267?-1337).
*Storie di Cristo* (1303-1305).
44 *Gesù fra i dottori.*

*Nave. North wall.*
*Giotto (1267?-1337).*
Scenes from the life of Christ *(1303-1305).*
44 Jesus among the doctors.

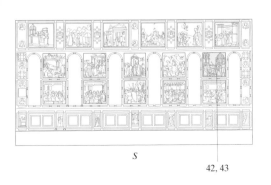

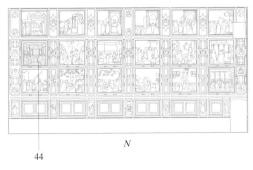

S

42, 43

44

N

45

46

**Navata. Parete nord.**
Giotto (1267?-1337).
*Storie di Cristo (1303-1305).*
45, 46  *Il Battesimo di Cristo,*
  e particolare.
47, 48  *Le nozze di Cana,*
  e particolare.

**Nave. North wall.**
*Giotto (1267?-1337).*
Scenes from the life of Christ
*(1303-1305).*
45, 46  The Baptism of Christ,
  *and detail.*
47, 48  The Marriage Feast
  of Cana, *and detail.*

47

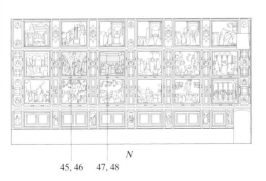

45, 46    47, 48

N

48

*49*

49

50

**Navata. Parete nord.**

Giotto (1267?-1337).
*Storie di Cristo* (1303-1305).
49, 50 *La resurrezione di Lazzaro,*
  e particolare.
51, 52 *L'ingresso a Gerusalemme,*
  e particolare.

**Nave. North wall.**

Giotto (1267?-1337).
Scenes from the life of Christ
(1303-1305).
*49, 50* The Raising of Lazarus,
  *and detail.*
*51, 52* Christ's Entry into
  Jerusalem, *and detail.*

51

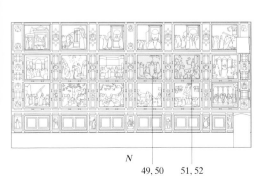

N

49, 50    51, 52

52

53

54

**Navata. Parete nord.**
Giotto (1267?-1337).
*Storie di Cristo* (1303-1305).
53, 54 *La cacciata dei mercanti dal tempio*, e particolare.

**Nave. North wall.**
Giotto (1267?-1337).
Scenes from the life of Christ
*(1303-1305).*
53, 54 The Expulsion of merchants
from the Temple, *and detail.*

55

| Navata. Parete est. | Nave. East wall. |
|---|---|
| **Arco trionfale.** | *Triumphal Arch.* |

**Navata. Parete est.
Arco trionfale.**

Giotto (1267?-1337).
*Storie di Cristo (1303-1305).*
55 *Il tradimento di Giuda.*

*Nave. East wall.
Triumphal Arch.*

*Giotto (1267?-1337).*
Scenes from the life of Christ *(1303-1305).*
55 The Betrayal by Judas.

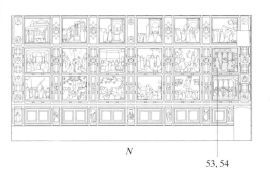

*N*

53, 54

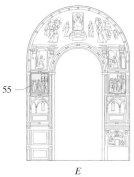

55

*E*

56

57

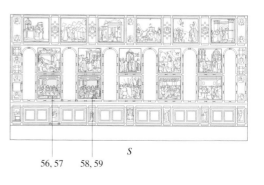

56, 57    58, 59

S

*54*

58

**Navata. Parete sud.**

Giotto (1267?-1337).
*Storie di Cristo* (1303-1305).
56, 57 *L'ultima Cena*,
   e particolari.
58, 59 *La lavanda dei piedi*,
   e particolare.

**Nave. South wall.**

Giotto (1267?-1337).
Scenes from the life of Christ
*(1303-1305)*.
56, 57 The Last Supper,
   *and details.*
58, 59 The Washing of the feet,
   *and detail.*

59

60

61

**Navata. Parete sud.**
Giotto (1267?-1337).
*Storie di Cristo (1303-1305).*
60, 61  *La cattura di Cristo,*
e particolare.
62, 63  *Cristo davanti al Sinedrio,*
e particolare.

**Nave. South wall.**
*Giotto (1267?-1337).*
Scenes from the life of Christ
*(1303-1305).*
60, 61  The Arrest of Christ,
*and detail.*
62, 63  Christ before
the Sanhedrin, *and detail.*

62

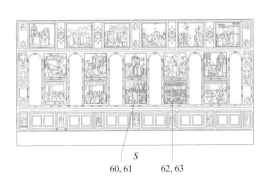

S

60, 61    62, 63

63

64

65

**Navata. Parete sud.**
Giotto (1267?-1337).
*Storie di Cristo (1303-1305).*
64, 65 *Cristo deriso,*
  e particolare.

*Nave. South wall.*
Giotto (1267?-1337).
Scenes from the life of Christ
*(1303-1305).*
*64, 65* Mocking of Christ,
  and detail.

66

**Navata. Parete nord.**

Giotto (1267?-1337).
*Storie di Cristo* (1303-1305).
66  *L'andata al Calvario.*

*Nave. North wall.*

*Giotto (1267?-1337).*
Scenes from the life of Christ *(1303-1305).*
*66*  The road to Calvary.

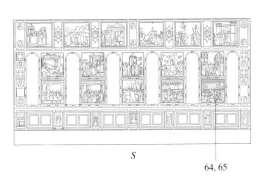

S

64, 65

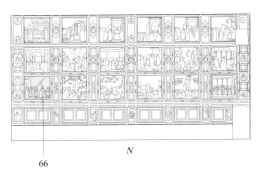

66

N

67

68

**Navata. Parete nord.**

Giotto (1267?-1337).
*Storie di Cristo (1303-1305).*
67, 68 *La Crocifissione,*
e particolare.
69, 70 *Il compianto sul Cristo
morto,* e particolare.

**Nave. North wall.**

Giotto (1267?-1337).
Scenes from the Life of Christ
*(1303-1305).*
67, 68 The Crucifixion,
*and detail.*
69, 70 The Lamentation over the
dead Christ, *and detail.*

69

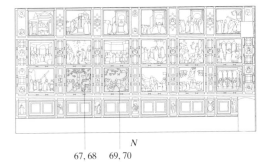

N

67, 68    69, 70

70

71

72

**Navata. Parete nord.**
Giotto (1267?-1337).
*Storie di Cristo* (1303-1305).
71, 72 *Noli me tangere*,
  e particolare.
73, 74 *L'Ascensione*, e particolare.

**Nave. North wall.**
Giotto (1267?-1337).
Scenes from the life of Christ
(1303-1305).
71, 72 *Noli me tangere*,
  *and detail.*
73, 74 The Ascension, *and detail.*

73

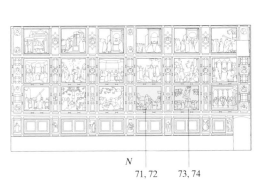

N

71, 72    73, 74

74

75

**Navata. Parete nord.**
Giotto (1267?-1337).
*Storie di Cristo* (1303-1305).
75  *La Pentecoste,*
  e particolare.

*Nave. North wall.*
*Giotto (1267?-1337).*
Scenes from the life of Christ
*(1303-1305).*
75  The Pentecost, *and detail.*

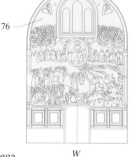

76

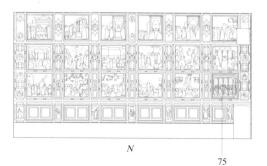

N

75

**Navata. Parete ovest.**
Giotto (1267?-1337), e bottega.
76  *Il Giudizio Universale* (1303-1305).

*Nave. West wall.*
*Giotto (1267?-1337), and workshop.*
76  The Last Judgement *(1303-1305).*

W

76 →

# Le allegorie delle *Virtù* e dei *Vizi*

La zona inferiore delle pareti è dipinta a larghe riquadrature di marmi interrotte da nicchie rettangolari che contengono le figure delle *Virtù* e dei *Vizi*. È questa una delle più geniali invenzioni di Giotto, che contrappone la via della Salvezza alla via del peccato, i cui esiti diversi sono raffigurati nel *Giudizio Universale* di controfacciata.

# The Allegories of Virtues and Vices

*The lower part of the walls are painted with large imitation-marble sections interrupted by rectangular niches enclosing the figures of the* Virtues *and* Vices. *This is one of Giotto's happiest innovations, contrasting the way to Salvation with the road to Perdition, and with the final outcome depicted in the* Last Judgement *on the counter-façade.*

*Allegorie delle Virtù e dei Vizi* **(1305 ca).**

77 *Prudenza.*
78 *Stoltezza.*
79 *Fortezza.*
80 *Incostanza.*
81 *Temperanza.*
82 *Ira.*
83 *Giustizia.*
84 *Ingiustizia.*
85 *Fede.*
86 *Infedeltà.*
87 *Carità.*
88 *Invidia.*
89 *Speranza.*
90 *Disperazione.*

**Allegories of Virtues and Vices** *(ca. 1305).*

77 Prudence.
78 Foolishness.
79 Fortitude.
80 Inconstancy.
81 Temperance.
82 Anger.
83 Justice.
84 Injustice.
85 Faith.
86 Infidelity.
87 Charity.
88 Envy.
89 Hope.
90 Despair.

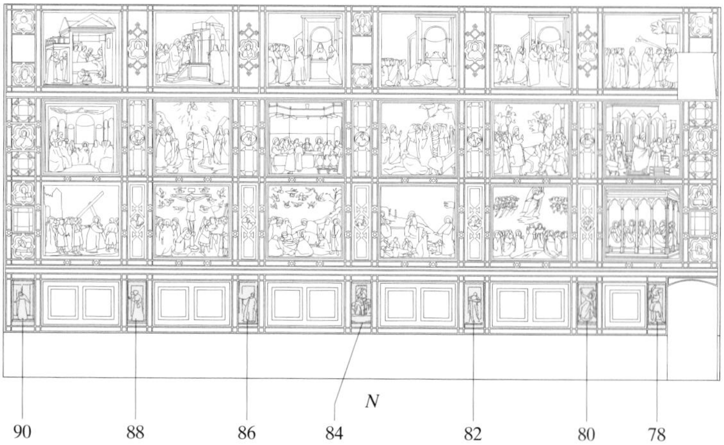

77

78

**Navata. Parete sud.**

Giotto (1267?-1337).
*Allegorie delle Virtù e dei Vizi* (1305 ca).
77 *Prudenza.*

**Nave. South wall.**

Giotto *(1267?-1337).*
Allegories of Virtues and Vices *(ca. 1305).*
77 Prudence.

**Navata. Parete nord.**

Giotto (1267?-1337).
*Allegorie delle Virtù e dei Vizi* (1305 ca).
78 *Stoltezza.*

**Nave. North wall.**

Giotto *(1267?-1337).*
Allegories of Virtues and Vices *(ca. 1305).*
78 Foolishness.

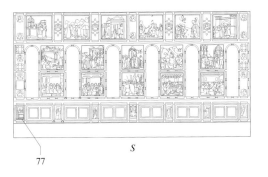

S

77

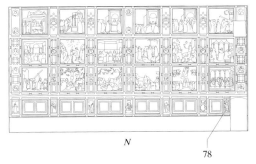

N

78

79

80

**Navata. Parete sud.**
Giotto (1267?-1337).
*Allegorie delle Virtù e dei Vizi* (1305 ca).
*79 Fortezza.*

**Nave. South wall.**
*Giotto (1267?-1337).*
Allegories of Virtues and Vices *(ca. 1305).*
*79* Fortitude.

**Navata. Parete nord.**
Giotto (1267?-1337).
*Allegorie delle Virtù e dei Vizi* (1305 ca).
*80 Incostanza.*

**Nave. North wall.**
*Giotto (1267?-1337).*
Allegories of Virtues and Vices *(ca. 1305).*
*80* Inconstancy.

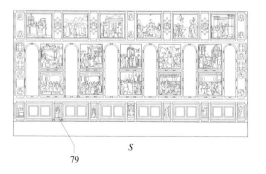

S

79

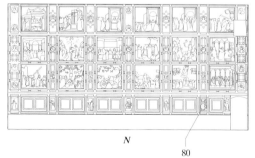

N

80

81

82

**Navata. Parete sud.**
Giotto (1267?-1337).
*Allegorie delle Virtù e dei Vizi* (1305 ca).
**81** *Temperanza.*

*Nave. South wall.*
Giotto (1267?-1337).
Allegories of Virtues and Vices *(ca. 1305).*
*81* Temperance.

**Navata. Parete nord.**
Giotto (1267?-1337).
*Allegorie delle Virtù e dei Vizi* (1305 ca).
**82** *Ira.*

*Nave. North wall.*
Giotto (1267?-1337).
Allegories of Virtues and Vices *(ca. 1305).*
*82* Anger.

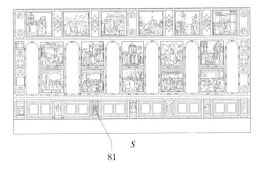

S

81

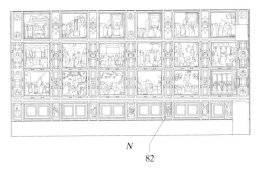

N

82

83

84

**Navata. Parete sud.**
Giotto (1267?-1337).
*Allegorie delle Virtù e dei Vizi (1305 ca).*
83 *Giustizia.*

*Nave. South wall.*
*Giotto (1267?-1337).*
Allegories of Virtues and Vices *(ca. 1305).*
*83* Justice.

**Navata. Parete nord.**
Giotto (1267?-1337).
*Allegorie delle Virtù e dei Vizi (1305 ca).*
84 *Ingiustizia.*

*Nave. North wall.*
*Giotto (1267?-1337).*
Allegories of Virtues and Vices *(ca. 1305).*
*84* Injustice.

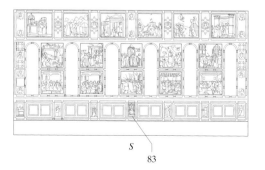

S
83

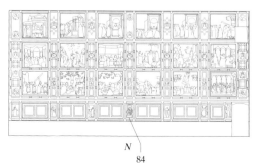

N
84

FIDES

INFIDELITAS

85

86

**Navata. Parete sud.**
Giotto (1267?-1337).
*Allegorie delle Virtù e dei Vizi* (1305 ca).
85 *Fede.*

*Nave. South wall.*
*Giotto (1267?-1337).*
Allegories of Virtues and Vices *(ca. 1305).*
*85* Faith.

**Navata. Parete nord.**
Giotto (1267?-1337).
*Allegorie delle Virtù e dei Vizi* (1305 ca).
86 *Infedeltà.*

*Nave. North wall.*
*Giotto (1267?-1337).*
Allegories of Virtues and Vices *(ca. 1305).*
*86* Infidelity.

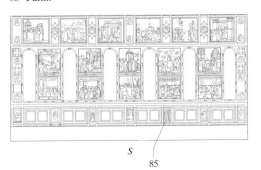

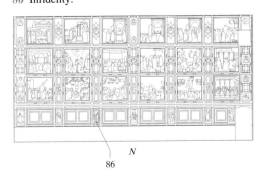

S
85

N
86

87

88

**Navata. Parete sud.**
Giotto (1267?-1337).
*Allegorie delle Virtù e dei Vizi* (1305 ca).
87 *Carità.*

**Nave. South wall.**
*Giotto (1267?-1337).*
Allegories of Virtues and Vices *(ca. 1305).*
87 Charity.

**Navata. Parete nord.**
Giotto (1267?-1337).
*Allegorie delle Virtù e dei Vizi* (1305 ca).
88 *Invidia.*

**Nave. North wall.**
*Giotto (1267?-1337).*
Allegories of Virtues and Vices *(ca. 1305).*
88 Envy.

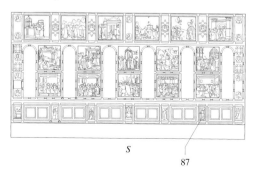

S

87

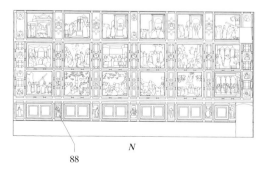

N

88

89

90

**Navata. Parete sud.**
Giotto (1267?-1337).
*Allegorie delle Virtù e dei Vizi* (1305 ca).
89 *Speranza.*

*Nave. South wall.*
*Giotto (1267?-1337).*
Allegories of Virtues and Vices *(ca. 1305).*
*89* Hope.

**Navata. Parete nord.**
Giotto (1267?-1337).
*Allegorie delle Virtù e dei Vizi* (1305 ca).
90 *Disperazione.*

*Nave. North wall.*
*Giotto (1267?-1337).*
Allegories of Virtues and Vices *(ca. 1305).*
*90* Despair.

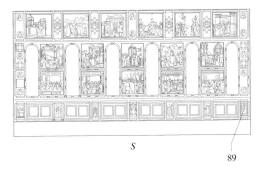

S

89

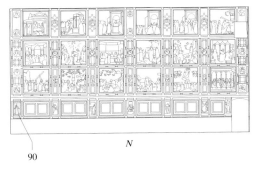

90

N

91

**Navata. Parete est.**
**Arco trionfale.**

Giotto (1267?-1337).
**91, 92** Due coretti (1304 ca).

*Nave. East wall.*
*Triumphal Arch.*

*Giotto (1267?-1337).*
*91, 92 Two small choirs (ca. 1304).*

92

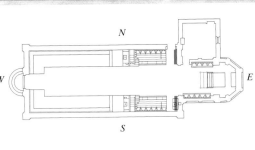

N

W       E

S

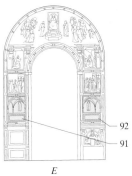

92

91

E

# La volta

Nell'asse centrale sono collocati i tondi con i protagonisti di tutta la decorazione pittorica, la *Madonna con il Bambino* e il *Salvatore benedicente*. Fanno corona sette *Profeti* e *San Giovanni Battista*. Nelle tre fasce che suddividono la volta vediamo in cornici polilobate patriarchi e re dell'Antico Testamento spesso di difficile identificazione.

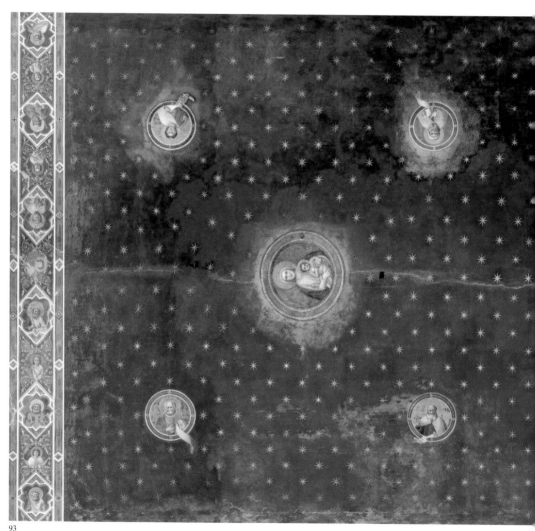

93
**Navata**
Giotto (1267?-1337), e bottega.
93 La volta.

*Nave.*
*Giotto (1267?-1337), and workshop.*
*93 The vault.*

# The Vault

On the central axis are roundels enclosing the most important figures of the pictorial scheme, *the* Madonna and Child *and* Christ in Benediction. *They are surrounded by seven* Prophets *and* St John the Baptist. *Old Testament kings and patriarchs, difficult to identify, with blessed and angels, are depicted in quadrilobe frames in the three bands subdividing the vault.*

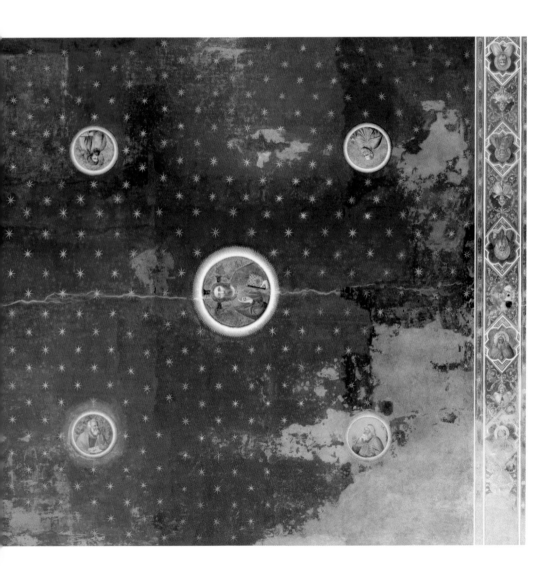

94

**Navata. Volta.**

Giotto (1267?-1337), e bottega.
94 *Madonna con il Bambino* (1303-1305).
95 *Gesù Cristo* (1303-1305).

*Nave. Vault.*

*Giotto (1267?-1337), and workshop.*
95 Virgin and Child *(1303-1305).*
95 Christ *(1303-1305).*

95

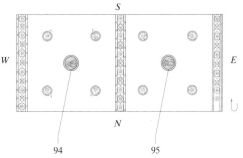

96

97

98

99

**Navata. Volta.**

Giotto (1267?-1337), e bottega.
96 *Isaia*; 97 *Baruch* 98 *Malachia*;
  99 *Daniele*.

**Nave. Vault.**

*Giotto (1267?-1337), and workshop.*
96 Isaias; 97 Baruch; 98 Malachias;
  99 Daniel.

100

101

102

103

**Navata. Volta.**

Giotto (1267?-1337).
100 *San Giovanni Battista*; 101 *Profeta*
(Mosè o Ezechiele?); 102 *Profeta* (Michea
o Geremia?); 103 *Profeta* (Geremia,
Gioele o Zaccaria?).

*Nave. Vault.*

*Giotto (1267?-1337).*
100 St John the Baptist; *101* Prophet
*(Moses or Ezechiel?); 102* Prophet
*(Micheas or Jeremias?); 103* Prophet
*(Jeremias, Joel or Zacharias?).*

*81*

# Il presbiterio

# The Presbytery

La zona orientale della Cappella presenta un presbiterio coperto da volta a crociera, con un altare che ospita la *Madonna con il Bambino e due angeli cerofori* di Giovanni Pisano, e che si conclude in un'abside pentagonale dove è collocato il sepolcro di Enrico Scrovegni. È decorato da un ciclo con *Storie di Maria* e immagini di *Santi* opera del cosiddetto "Maestro del coro Scrovegni". A Giusto de' Menabuoi sono invece attribuite due *Madonne del latte*. La zona inferiore ospita gli stalli lignei del coro.

*The presbytery, with cross-vaulting, at the east end of the Chapel has an altar with Giovanni Pisano's* Virgin and Child *with two candle-bearing angels, and ends in a pentagonal apse enclosing the tomb of Enrico Scrovegni. It is decorated with a cycle showing the* Life of the Virgin *and images of the* Saints *by artists known as the "Maestro del coro Scrovegni".*

*The two* Madonnas of the milk *are attributed to Giusto de' Menabuoi. There are wooden choir stalls.*

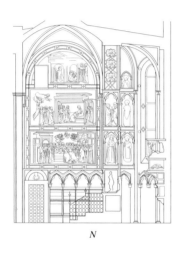 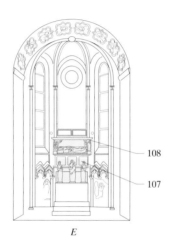 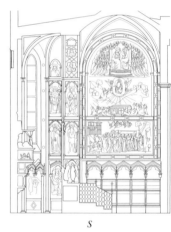

N       E       S

108

107

Giovanni Pisano (1245 ca-*post* 1314) e bottega /
*Giovanni Pisano (ca. 1245 - post 1314), and workshop.*
107 *Madonna con il Bambino tra due angeli cerofori*
(1305 ca) / Virgin and Child with two candle-bearing Angels *(ca. 1305).*

Maestro della tomba Scrovegni / *Master of the Scrovegni tomb.*
108 *Monumento funebre di Enrico Scrovegni*
(1330-1340 ca) / Funerary monument of Enrico Scrovegni *(ca. 1330-1340).*

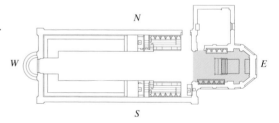

N

W       E

S

104 L'arco trionfale e il presbiterio.

*104 The Triumphal Arch and the Presbytery.*

Alle pp. 84, 85 / On pp. 84, 85

105, 106 Il presbiterio da sud-ovest e da nord-ovest.

*105, 106 The Presbytery from the south-west anf from north-west.*

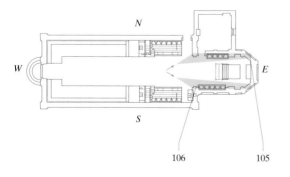

N

W       E

S

106       105

104 ➤

**Presbiterio.**

Giovanni Pisano
(1245 ca - *post* 1314),
e bottega.
**107** *Madonna con il Bambino tra
due angeli cerofori* (1305 ca).

**Presbytery.**

*Giovanni Pisano
(ca. 1245 - post 1314),
and workshop.*
*107* Virgin and Child with two
candle-bearing Angels *(ca. 1305).*

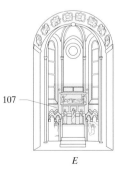

107

*E*

107

108

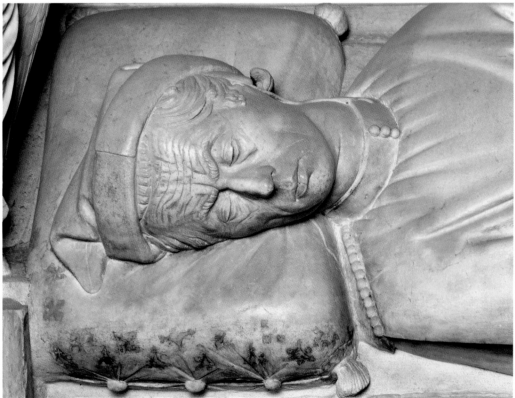

109

110

**Presbiterio. Abside.**

Maestro della tomba Scrovegni.
108, 109 *Monumento funebre di Enrico Scrovegni*
(1330-1340 ca), e particolare.

**Presbiterio.**

110 Porta di accesso alla Sagrestia.

*Presbytery. Apse.*

*Master of the Scrovegni tomb.*
*108, 109 Funerary monument of Enrico Scrovegni*
*(ca. 1330-1340), and detail.*

**Presbytery.**

*110 Door into Sacristy.*

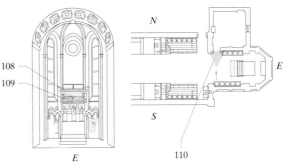

**Sagrestia. Parete ovest.**

Scultore dell'Italia centrale
(Marco Romano?).
**111, 112**  *Enrico Scrovegni*
(1305 ca), e particolare.

*Sacristy. West wall.*

*Sculptor of the Central Italy
(Marco Romano?).*
*111, 112  Enrico Scrovegni
(ca. 1305), and detail.*

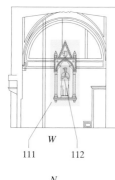

W

111        112

N

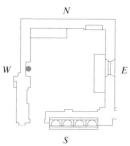

W        E

S

111

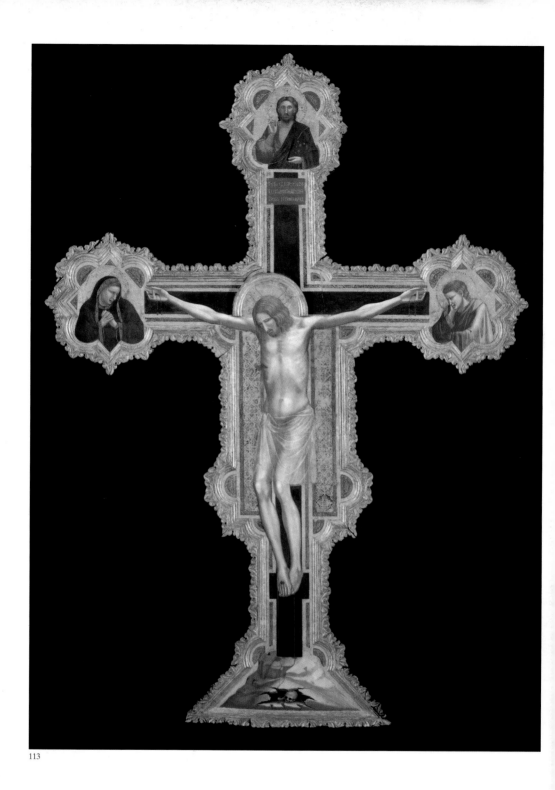

113

**Padova. Musei Civici.**
Giotto ( 1267?-1337).
113 *Crocifisso* (1303-1305).

*Padua. Civic Museums.*
*Giotto ( 1267?-1337).*
*113* Crucifix *(1303-1305).*

# La Cappella degli Scrovegni a Padova

## *The Scrovegni Chapel in Padua*

## Schede

## *Entries*

**1-5**

### L'architettura.

All'esterno la Cappella si presenta con mattoni a vista, col tetto a due falde, affacciata nello spazio interno dell'Arena. Ad un corpo principale allungato a base rettangolare (di m 10,19 × 22,64) sono aggiunti verso oriente un corpo più stretto e un'abside poligonale con una loggia campanaria sporgente più in alto. A settentrione sono addossati il volume alto della sagrestia e il nuovo prisma in vetro nero dell'ingresso.

### La facciata sud-occidentale.

È caratterizzata dal portale d'ingresso, ora chiuso al pubblico, e da una grande trifora sovrapposta al portale.

L'ingresso è sormontato da una lunetta con una *Madonna con il Bambino*, dovuta probabilmente a Domenico Zanella (doc. fino al 1739).

### Il fianco sud-orientale.

Il fianco è ripartito in sei campi da sette paraste.

In corrispondenza alle sei finestre superiori sono aperti nello zoccolo altrettanti finestrini quadrati per illuminare il vano sotterraneo.

Nel seconda campata da ovest è murata in posizione asimmetrica una cornice in pietra d'Istria, sormontata da un arco a doppia ghiera, predisposta per l'apertura di una porta non utilizzata.

### Il fianco nord-occidentale.

Il prospetto nord-ovest dell'aula principale ripete quello meridionale, ma con la significativa mancanza delle finestre.

Una porta con cancello, raggiungibile dall'intercapedine scavata lungo il fianco, conduce alla cripta seminterrata.

Il palazzo Scrovegni era addossato alla cappella fino alla sua definitiva demolizione nel 1827, in corrispondenza dell'attuale Corpo tecnologico attrezzato per l'ingresso dei visitatori.

**6, 7**

### L'interno.

Gli affreschi realizzati da Giotto e dalla sua bottega rivestono completamente le pareti e la volta dell'aula centrale della Cappella.

I due grandi cicli con le *Storie della Vergine e di Cristo* occupano le pareti sud e nord e l'arco trionfale.

La controfacciata ospita il grandioso *Giudizio Universale*, mentre le raffigurazioni di *Vizi* e

### The architecture.

The Chapel is built in brick and faces onto the Arena. It is a simple rectangular shape (10.19 x 22.64 m) with a narrow projection at the east end and a polygonal apse surmounted by a loggia with bell-tower.

On the north side is the square sacristy and the new black glass prism entrance containing high-tech equipment regulating the building's conservation.

### South-west side.

The original entrance to the chapel is now closed to the public. The façade has a large mullioned window high above the doorway, surmounted by a lunette of the Virgin and Child probably by Domenico Zanella (documented until 1739).

### South-east side.

This side is divided into six bays by seven pilaster strips.

Below the six windows opening onto the chapel are six more small square ones at ground level to illuminate the room below. In the second bay from the west there is a cornice in Istrian stone surmounted by a double arch, part of a doorway which was never built.

### North-east side.

The north-west side of the main architecture of the Scrovegni Chapel is like the south-east one but has no windows.

Through an interspace digged along the side, the visitor can reach a gated doorway leading down to the crypt.

The palazzo Scrovegni which was originally adjacent to the chapel was demolished in 1827.

In its place there is now the technological building with the entrance for the visitors.

### The interior.

The walls and ceiling of the Chapel are entirely covered with frescoes by Giotto and his workshop, painted in the early 14th century. The two large cycles of Scenes from the Life of the Virgin and Scenes from the Life of Christ cover the north and south walls and the triumphal arch, while the lower part of the nave walls are decorated with Virtues and Vices between fictive

*Virtù*, intervallate da specchiature di finti marmi, decorano la parte inferiore delle pareti lunghe della navata.

Giotto non è invece intervenuto nel presbiterio, i cui affreschi più tardi si devono in gran parte al cosiddetto Maestro del coro Scrovegni e a Giusto de' Menabuoi.

**Navata. Parete sud.**
**Giotto (1267?-1337).**
*Storie della Vergine (1303-1305).*
*La cacciata di Gioacchino dal tempio,*
**e particolare.**

Con la scena si dà inizio alle *Storie della Vergine*, narrate attraverso il riferimento a varie fonti, tra cui principalmente si ricordano i Vangeli apocrifi e la *Leggenda Aurea* di Jacopo da Varazze.

Il Protovangelo di Giacomo (I, 2) raccontava infatti: "Venne il gran giorno del Signore, e i figli di Israele portavano le loro offerte. Ma Ruben si piantò davanti a Gioacchino, dicendo: 'Tu non hai diritto di presentare per primo le tue offerte, perché non hai generato prole in Israele'".

La *Cacciata di Gioacchino* racconta l'umiliazione dell'anziano e il suo allontanamento dal tempio ebraico come premessa agli esordi di una Nuova Alleanza. Gioacchino è allontanato dal tempio con irruenza, spinto alle spalle e strattonato per il mantello, ed esprime, con lo sguardo corrucciato, la lacerazione dell'animo mentre teneramente stringe l'agnello dell'offerta come fosse il figlio che il Signore non gli aveva concesso.

**Navata. Parete sud.**
**Giotto (1267?-1337).**
*Storie della Vergine (1303-1305).*
*Gioacchino fra i pastori,* **e particolare.**

Lo Pseudo Matteo (II, 1) racconta: "Allora [Gioacchino], svergognato alla presenza del popolo, si allontanò in lacrime dal tempio del Signore, e non tornò a casa sua, ma se ne andò presso le sue bestie e condusse con sé i pastori tra i monti, in una terra lontana, sicché per cinque mesi nessuna notizia di lui poté avere sua moglie Anna".

La chiusa meditazione del sant'uomo e la caparbia preghiera sono rappresentate nel passo lento della figura col capo chino; il manto lo avvolge coprendo le mani, indegne del sacrificio. Di grande efficacia le immagini dei pastori.

*marble panels.* The Last Judgement *fills the counter-façade.*

*Giotto's hand is absent from the frescoes in the presbytery. They are of later date and are largely the work of the artist known as the Master of the Scrovegni Choir and of Giusto de' Menabuoi.*

*Nave. South wall.*
*Giotto (1267?-1337).*
**Scenes from the Life of the Virgin** *(1303-1305).*
**Joachim expelled from the Temple,**
*and detail.*

*This scene opens the cycle dealing with the* Life of the Virgin, *narrated with reference to various sources, but mainly based on accounts in the Apocryphal gospels and in the* Golden Legend *by Jacobus de Voragine.*

*The Protoevangelium of James (I: 2) relates: "For the great day of the Lord was at hand, and the sons of Israel were bringing their offerings. And there stood over against him Rubin, saying: It is not meet for thee first to bring thine offerings, because thou hast not made seed in Israel".*

*The* Expulsion of Joachim *shows Joachim's humiliation in being banished from the Jewish Temple prefiguring the beginning of a New Alliance. Joachim is roughly rejected, pushed from behind, his face puzzled and saddened as he tenderly clutches the lamb bought as an offering, as though it were the son that has not been granted him.*

*Nave. South wall.*
*Giotto (1267?-1337).*
**Scenes from the Life of the Virgin** *(1303-1305).*
**Joachim among the shepherds,** *and detail.*

*The gospel of Pseudo-Matthew (II: 1) relates: "Being therefore put to shame in the sight of the people, he retired from the temple of the Lord weeping, and did not return to his house, but went to his flocks, taking with him his shepherds into the mountains to a far country, so that for five months his wife Anna could hear no tidings of him".*

*His humble resignation is perfectly depicted in his slow step and bent head; his mantle wrapped around his hands, unworthy of sacrifice.*

*8, 9*

*10, 11*

95

**12, 13**

Navata. Parete sud.
Giotto (1267?-1337).
*Storie della Vergine* (1303-1305).
*L'annuncio ad Anna*, e particolare.

Un angelo del Signore apparve alla consorte di Gioacchino per annunciare: "Non temere, Anna, poiché è nel disegno di Dio un tuo discendente; e ciò che nascerà da te sarà oggetto di ammirazione per tutte le generazioni, fino alla fine" (Pseudo Matteo, II, 3).

Da segnalare la singolare soluzione scenica che vede l'angelo introdursi dalla finestrella arcata, quasi stringendo le ali.

Nave. South wall.
Giotto (1267?-1337).
Scenes from the Life of the Virgin *(1303-1305)*.
The annonciation to Anna, *and detail.*

*An Angel appeared to Joachim's wife Anna and comforted her: "Be not afraid, Anna, for there is seed for thee in the decree of God; and all generations even to the end shall wonder at that which shall be born of thee." (Pseudo-Matthew II: 3). Here we can see the angel entering Anna's enclosed space through a small arched window, so that he appears to tuck his wings in in order to squeeze through.*

**14, 15**

Navata. Parete sud.
Giotto (1267?-1337).
*Storie della Vergine* (1303-1305).
*Il sacrificio di Gioacchino*, e particolare.

Nel riquadro si rappresenta l'incontro con l'angelo che annuncia a Gioacchino la risposta alle sue preghiere: "'Io sono un angelo del Signore, che sono apparso oggi a tua moglie, la quale piangeva e pregava, e l'ho consolata: sappi infatti che dal tuo seme essa ha concepito una figlia'. [...] E avvenne che mentre Gioacchino offriva il sacrificio a Dio, insieme con l'odore del sacrificio, o per meglio dire col fumo, l'angelo volò fino al cielo". (Pseudo Matteo III, 2-3) Questi due momenti narrativi sono congiunti nel medesimo riquadro, annuncio e sacrificio, accettato col gesto eloquente della mano divina.

Nave. South wall.
Giotto (1267?-1337).
Scenes from the Life of the Virgin *(1303-1305)*.
The sacrifice of Joachim, *and detail.*

*This scene shows the angel appearing to Joachim in response to his prayers: "'I am an angel of the Lord, and I have to-day appeared to thy wife when she was weeping and praying, and have consoled her; and know that she has conceived a daughter [...] And when Joachim was offering the sacrifice to God, the angel and the odour of the sacrifice went together straight up to heaven with the smoke." (Pseudo-Matthew III: 2-3) It combines both the annunciation to Joachim and the sacrifice he made in thanksgiving which is acknowledged by the hand of God above.*

**16, 17**

Navata. Parete sud.
Giotto (1267?-1337).
*Storie della Vergine* (1303-1305).
*Il sogno di Gioacchino*, e particolare.

Come nella scena precedente il riferimento al Vangelo apocrifo dello Pseudo Matteo (III, 4) svela il significato della rappresentazione: "E mentre Gioacchino era ancora in dubbio in cuor suo se dovesse ritornare, accadde che fu colto dal sonno ed ecco l'angelo che gli era apparso da sveglio gli apparve in sogno, dicendo: 'Io sono l'angelo che ti è stato dato da Dio come custode: discendi senza timore e ritorna da Anna, poiché le opere di misericordia che tu e tua moglie Anna avete fatte sono state riferite al cospetto dell'Altissimo e una tale prole vi è stata data, quale mai, fin dall'inizio, ebbero né profeti né santi, e mai avranno'".

Nave. South wall.
Giotto (1267?-1337).
Scenes from the Life of the Virgin *(1303-1305)*.
Joachim's dream, *and detail.*

*This episode, like the previous one, is explained with reference to the gospel of Pseudo-Matthew (II: 4): "And when Joachim was turning over in his mind whether he should go back or not, it happened that he was overpowered by a deep sleep; and, behold, the angel who had already appeared to him when awake, appeared to him in his sleep, saying: I am the angel appointed by God as thy guardian: go down with confidence, and return to Anna, because the deeds of mercy which thou and thy wife Anna have done have been told in the presence of the Most High; and to you will God give such fruit as no prophet or saint has ever had from the beginning, or ever will have'."*

**Navata. Parete sud.**
**Giotto (1267?-1337).**
*Storie della Vergine (1303-1305).*
*L'incontro alla Porta Aurea*, **e particolare.**

Pseudo Matteo (III, 5): "Quando già camminavano da trenta giorni ed erano già vicini, ad Anna, che stava pregando, apparve un angelo del Signore, e le disse: 'Va' alla Porta che si chiama "Aurea" e fatti incontro a tuo marito, perché oggi egli verrà da te'. Ed ella prontamente vi si recò con le sue serve, e stando in attesa sulla porta, si mise a pregare. Già aspettava da tanto tempo ed era sconfortata di così lunga attesa, quando alzando gli occhi vide Gioacchino che arrivava con le sue bestie, e correndogli incontro Anna si appese al suo collo, ringraziando Dio e dicendo: 'Ero vedova, ed ecco non lo sono più; ero sterile, ed ecco ho concepito'. E ci fu grande gioia fra tutti i suoi vicini e conoscenti, tanto che tutta la terra di Israele si rallegrò a quella notizia".

**Navata. Parete nord.**
**Giotto (1267?-1337).**
*Storie della Vergine (1303-1305).*
*La nascita della Vergine*, **e particolare.**

La stessa ambientazione dell'*Annuncio ad Anna (12)* è riprodotta per la *Nascita di Maria*, secondo la logica unitarietà dello spazio d'azione rigorosamente seguita dall'arte giottesca.

L'azione si svolge in più tempi: la bimba, accudita presso un bacile in bronzo, poi viene riconsegnata alla madre, mentre sulla soglia una serva offre un involto alla levatrice, e un'altra donna mantiene coperto un recipiente, portando una vivanda calda.

**Navata. Parete nord.**
**Giotto (1267?-1337).**
*Storie della Vergine (1303-1305).*
*L'ingresso di Maria al tempio*, **e particolare.**

La vicenda che riguarda l'ingresso della piccola Maria al tempio è così narrata dallo Pseudo Matteo (IV, 1): "Al terzo anno, avendola svezzata, Gioacchino e sua moglie Anna andarono insieme al tempio del Signore e offrendo vittime al Signore affidarono la loro piccola bimba, Maria, perché abitasse con le giovinette che trascorrevano giorno e notte nell'adorazione di Dio. Quando essa fu posta davanti al tempio del Signore salì così di corsa i quindici gradini che non si volse

*Nave. South wall.*
*Giotto (1267?-1337).*
**Scenes from the Life of the Virgin** *(1303-1305).*
**The meeting at the Golden Gate,** *and detail.*

*Pseudo-Matthew (III: 5): "And when, after thirty days, they were now near at hand, the angel of the Lord appeared to Anna, who was praying, and said: Go to the gate which is called Golden, and meet thy husband, for today he will come to thee. She therefore went towards him with her maidens, and, praying to the Lord, she stood waiting for him. And when she was wearied with long waiting, she lifted up her eyes and saw Joachim coming with his flocks; and she ran to him and hung on his neck, giving thanks to God, and saying: I was a widow, and behold now I am not so: I was barren, and behold I have now conceived. And there was great joy among all their neighbours and acquaintances, so that the whole land of Israel congratulated them."*

*Nave. North wall.*
*Giotto (1267?-1337).*
**Scenes from the Life of the Virgin** *(1303-1305).*
**The Birth of the Virgin,** *and detail.*

*The scene of the* Birth of the Virgin *takes place in the same room as in* The Angel appears before Anna *(12) in keeping with the rigorous logical spatial principles followed in Giotto's art. The action is related with overlapping episodes: the baby Mary is being fed beside a bronze dish, she is also being handed over to her mother, while at the entrance a servant is offering a bundle to the midwife, and another woman has a cover over a cup in order to keep the contents warm.*

*Nave. North wall.*
*Giotto (1267?-1337).*
**Scenes from the Life of the Virgin** *(1303-1305).*
**The Virgin's entry in the Temple,** *and detail.*

*The story of Mary's presentation in the Temple is related by the gospel of Pseudo-Matthew (IV : 1): "And having weaned her in her third year, Joachim, and Anna his wife, went together to the temple of the Lord to offer sacrifices to God, and placed the infant, Mary by name, in the community of virgins, in which the virgins remained day and night praising God. And when she was put down before the doors of the temple, she went up the fifteen steps so swiftly, that she did not look*

*18, 19*

*20, 21*

*22, 23*

affatto a guardare indietro, né – come di solito si fa nell'infanzia – cercò i genitori. E di questo tutti restarono attoniti per lo stupore, tanto che gli stessi pontefici del tempio se ne meravigliarono".

*back at all; nor did she, as children are wont to do, seek for her parents. Her parents were both alike astonished, and the priests of the temple themselves wondered."*

**Navata. Parete nord.**
**Giotto (1267?-1337).**
*Storie della Vergine (1303-1305).*
*La consegna delle verghe, e particolare.*

**Nave. North wall.**
**Giotto (1267?-1337).**
**Scenes from the Life of the Virgin *(1303-1305).***
**The distribution of the rods, *and detail.***

Lo Pseudo Matteo racconta che tutto il popolo di Israele fu radunato al tempio, e che il sacerdote si rivolse alla folla proclamando che dalla sola Maria era stato trovato "un nuovo modo di compiacere Dio: promettendo a Dio di rimanere vergine". Al giudizio divino si affida quindi la scelta di chi debba tenerla in custodia: "Fu tirato a sorte dai sacerdoti fra le dodici tribù di Israele e la sorte cadde sopra la tribù di Giuda. Allora il sacerdote disse: 'Domani chiunque è senza moglie venga qui recando una verga'. Così fu che Giuseppe insieme agli altri giovani portò una verga. Quando essi ebbero consegnate le loro verghe al sommo pontefice, questi offrì un sacrificio a Dio e interrogò il Signore".

La consegna delle verghe si svolge appunto presso il tempio, così come i due episodi seguenti, con la ripetizione esatta dello stesso edificio dalla bellissima forma semplificata ed efficace.

*Pseudo-Matthew relates how all the people of Israel were gathered in the temple and how the priest turned to the crowd to announce that "a new order of life has been found out by Mary alone, who promises that she will remain a virgin to God". It was then decided to search for the one into whose keeping Mary should be entrusted: "And the lot was cast by the priests upon the twelve tribes, and the lot fell upon the tribe of Judah. And the priest said: To-morrow let every one who has no wife come, and bring his rod in his hand. Whence it happened that Joseph brought his rod along with the young men. And the rods having been handed over to the high priest, he offered a sacrifice to the Lord God, and inquired of the Lord". The distribution of the rods takes place in the same beautifully simplified temple as appears in the two following scenes.*

**Navata. Parete nord.**
**Giotto (1267?-1337).**
*Storie della Vergine (1303-1305).*
*La preghiera per la fioritura delle verghe, e particolare.*

**Nave. North wall.**
**Giotto (1267?-1337).**
**Scenes from the Life of the Virgin *(1303-1305).***
**The prayer for the flowering of the rods, *and detail.***

"E il Signore disse: 'Metti la verga di tutti dentro il Santo dei Santi, e le verghe restino lì. Intanto ordina che loro domani vengano da te a ritirare le verghe, e dall'estremità di una di esse uscirà una colomba e volerà in cielo: a colui nella cui mano la verga restituita avrà compiuto questo prodigio, proprio a lui sia affidata Maria da custodire'". (Pseudo Matteo, VIII, 2)

Sull'altare sono deposte ordinatamente le verghe e due preziosi vasi di offerta, mentre il sacerdote e tutti i personaggi della scena precedente sono inginocchiati in attesa di un segno divino.

*"And the Lord said: Put all their rods into the holy of holies of God, and let them remain there, and order them to come to thee on the morrow to get back their rods; and the man from the point of whose rod a dove shall come forth, and fly towards heaven, and in whose hand the rod, when given back, shall exhibit this sign, to him let Mary be delivered to be kept.'" (Pseudo-Matthew VIII: 2). The rods are arranged neatly on the altar together with two precious offertory vases. The priest and all the people from the previous scene are kneeling down to await divine intervention.*

**Navata. Parete nord.**
**Giotto (1267?-1337).**
*Storie della Vergine (1303-1305).*

**Nave. North wall.**
**Giotto (1267?-1337).**
**Scenes from the Life of the Virgin *(1303-1305).***

**Lo sposalizio della Vergine, e particolare.**

Il testo di riferimento è la *Leggenda* di Jacopo da Varazze: "... scese dal cielo una colomba che si posò in cima alla verga: nessuno poté aver dubbi che a lui sarebbe andata in sposa la Vergine".

La colomba appare sulla verga fiorita di Giuseppe: è il segno che il Signore aveva predetto, ma l'evento è trasferito già nel cerimoniale, colto al suo culmine, mentre lo sposo porge l'anello al dito di Maria e il sacerdote accompagna il gesto unendo le mani dei coniugi. Da un lato le vergini che accompagneranno Maria, dall'altro i pretendenti delusi che esprimono il proprio disappunto, con la semplice maldicenza oppure spezzando la verga sul ginocchio, mentre il più motivato fra i pretendenti colpisce Giuseppe alle spalle.

**Navata. Parete nord.**
**Giotto (1267?-1337).**
*Storie della Vergine (1303-1305).*
*Il corteo nuziale della Vergine,*
**e particolare.**

Dice la *Leggenda Aurea* di Jacopo da Varazze: "Immediatamente dopo gli sponsali, Giuseppe si ritirò a casa sua a Betlemme per preparare la casa e per provvedere a tutte le cose necessarie per le nozze. La Vergine Maria si ritirò in questo tempo a Nazareth, presso i suoi genitori, con sette vergini della sua stessa età, sue compagne di latte, che il sacerdote le aveva dato come compagne e testimoni del miracolo. In questi giorni le apparve l'angelo Gabriele che annunziò che da lei sarebbe nato il Figlio di Dio".

**Navata. Parete est.**
**Arco trionfale.**
**Giotto (1267?-1337).**
*Storie di Cristo (1303-1305).*
*Dio Padre incarica l'arcangelo Gabriele*
e l'*Annunciazione.*

Come prologo celeste all'*Annunciazione* la Cappella degli Scrovegni propone una rara rappresentazione sacra, che mostra Dio Padre che incarica l'arcangelo Gabriele di recarsi presso la Vergine ad annunciare la nascita del Salvatore.

Il dipinto murale purtroppo ha subito ingenti danni, specie nella parte sinistra per chi guarda, ma appare ancora esemplare l'intenzione giottesca.

Dio Padre in trono è dipinto su una tavola, ora al Museo Civico (33) la cui conservazione ha

**The Betrothal of the Virgin, *and detail.***

*This episode is related in Jacobus de Voragine's* Golden Legend*: "... and a dove came from Heaven and perched at its summit; whereby it was manifest to all that the Virgin was to become the spouse of Joseph".*

*The dove resting on Joseph's flowering rod is the sign foretold by the Lord, but the event is depicted in its ceremonial culmination as Joseph slips the ring onto Mary's finger and the priest joins their hands in marriage. On one side are the virgins who have accompanied Mary, on the other the obviously disappointed suitors express their sorrow by breaking their rods over their knees, while one is about to give Joseph a blow on the back.*

*Nave. North wall.*
*Giotto (1267?-1337).*
**Scenes from the Life of the Virgin *(1303-1305).***
**The wedding procession of the Virgin,**
*and detail.*

*This is the scene described in Jacobus de Voragine's* Golden Legend*: "And when the espousals were completed, Joseph went back to Bethlehem to make ready his house, and to dispose for the wedding. Mary retired to her parents in Nazareth, with seven virgins of her age who had been nurtured with her, and whom the high priest had given to her as companions because of the miracle. And it was in those days that the angel Gabriel appeared to her and announced to her that she was to give birth to the Son of God."*

*Nave. East wall.*
*Triumphal arch.*
*Giotto (1267?-1337).*
**Scenes from the Life of Christ *(1303-1305).***
**God the Father charges the Archangel**
**Gabriel *and* The Annunciation.**

*The Scrovegni Chapel has a rare depiction of the heavenly prologue to the* Annunciation *in which God the Father charges the Archangel Gabriel to announce the news of Christ's birth to the Virgin Mary.*

*The fresco is badly damaged especially on the left side, but Giotto's masterly design is still apparent.*

*God the Father is depicted on a panel now in the Civic Museums (33) which has not suffered*

avuto esiti molto diversi rispetto al limitrofo dipinto murale; al momento dell'esecuzione la superficie decorata doveva apparire perfettamente coerente, priva di alcuna soluzione di continuità, e la "finestra" entro cui la tavola è inserita finiva per scomparire completamente. Il tema dell'*Annunciazione* è disposto sull'arco trionfale, nella posizione consueta alla prassi medievale, e introdotto e sottolineato dal prologo dell'*Incarico a Gabriele*. Di particolare interesse appare la composizione degli edifici che contengono i protagonisti della vicenda sacra: appare evidente, e in speciale contrapposizione con la perfetta prospettiva in cui sono disposti i "coretti" sottostanti (91, 92), il fatto che la duplice architettura è disposta secondo una vera e propria specularità.

**Padova, Musei Civici.**
**Giotto (1267?-1337).**
*Dio Padre in trono (1303-1305).*

Il dipinto (tempera su tavola di legno di pioppo, cm 150 × 95), inserito tra gli affreschi dell'arco trionfale della Cappella degli Scrovegni, costituisce, nel racconto giottesco, l'inizio della parte più dettagliatamente dedicata alla vicenda della salvazione umana e raffigura l'Eterno Padre colto nell'atto di conferire all'arcangelo Gabriele l'incarico di compiere l'Annunciazione. La sua autografia non è mai stata messa in dubbio, ma l'opera, per molto tempo difficilmente esaminabile da vicino e di norma presa in considerazione non singolarmente, ma nell'insieme del progetto decorativo dell'arco trionfale, è stata raramente oggetto di studi specifici.

Risulta evidente che l'opera aveva funzione di sportello, posto a chiusura di un vano retrostante, e ovviamente lo sportello era decorato dalla parte che veniva vista dall'interno della Cappella. È incerta la funzione: tra le ipotesi, si ritiene che lo spazio posteriore fosse utilizzato nel corso delle sacre rappresentazioni, o ricoprisse una funzione strettamente legata alle cerimonie liturgiche che si svolgevano nella Cappella, o servisse all'ostensione di qualche oggetto di culto.

**Navata. Parete est.**
**Arco trionfale.**
**Giotto (1267?-1337).**
*Storie di Cristo (1303-1305).*
*La Visitazione.*

*the same fate as the surrounding mural painting. When the work was first completed it would have appeared as one, with the panel inserted in the wall to appear as an integral part of the grand design. The "window" containing the panel was completely deleted.*

*The* Annunciation *is painted on the triumphal arch, according to medieval custom, and here it is introduced and given emphasis by the prologue of* God charging Gabriel.

*The composition of the buildings in which the action takes place is of particular interest as they are in a special contraposition with the perfect perspective of the small "choirs" below (91, 92). The double building also mirrors the scale and architecture of the tribunes below.*

*Padua, Civic Museums.*
*Giotto (1267?-1337).*
**God the Father enthroned** *(1303-1305).*

*This painting (tempera on poplar-wood panel, 150 × 95 cm), once inserted among the frescoes of the triumphal arch in the Scrovegni Chapel, begins Giotto's more detailed treatment of the theme of Man's salvation. It shows God the Father giving the Angel Gabriel instructions on the mission of the Annunciation to the Virgin Mary.*

*Giotto's authorship has never been questioned, but the work, which for so long was difficult to study independently or at close range, received insufficient detailed attention and was studied only together with the whole decorative project of the triumphal arch.*

*It is evident that the painting was clearly decorated as a door looking onto the Chapel and closed the space behind it.*

*It is more difficult to understand its purpose: suggested theories are that the enclosed space was used in sacred ceremonial display, or was more strictly related to liturgical practice to be celebrated in the Scrovegni Chapel, or that it was used to display some object of veneration.*

*34 Nave. East wall.*
*Triumphal arch.*
*Giotto (1267?-1337).*
**Scenes from the Life of Christ** *(1303-1305).*
**The Visitation.**

33

34

La *Visitazione* racconta l'incontro tra la Vergine e santa Elisabetta, entrambe glorificate dall'annuncio di Gabriele e dall'attesa di un figlio. Elisabetta attende la nascita di Giovanni Battista, e saluta la Vergine con deferenza, con la frase celebre: "Benedetta fra le donne e benedetto il frutto del tuo ventre!".

L'evento segue con coerenza cronologica la narrazione evangelica, seguendo l'*Annunciazione* soprastante e preludendo alla *Natività* (35), con cui inizia sullo stesso registro la vicenda neotestamentaria sulla parete meridionale.

**Navata. Parete sud.**
**Giotto (1267?-1337).**
*Storie di Cristo* **(1303-1305).**
*La Natività.*

Celebre composizione, tanto innovativa rispetto al passato, quanto divenuta in seguito un punto di riferimento per molti presepi pittorici.

Il rinnovamento iconografico risponde a una tradizione letteraria duecentesca, le *Meditationes Vitae Nostri Domini Jesu Christi,* di origine francescana, ormai diffusa e comune, che prediligeva un racconto sacro ricco di intonazioni umane teneramente affettuose e di particolari quotidiani: "... E la regina dei cieli si sedette tenendo il basto sotto il gomito e il viso sopra la mangiatoia, con gli occhi e tutto il suo cuore rivolti all'amatissimo figlio. [...] Nato dunque il Signore, la moltitudine di angeli che erano lì si mise ad adorarlo, poi andarono subito dai pastori dei dintorni, fino a un miglio di distanza, e annunciarono loro la nascita di Cristo e il luogo".

**Navata. Parete sud.**
**Giotto (1267?-1337).**
*Storie di Cristo* **(1303-1305).**
*L'adorazione dei Magi,* **e particolare.**

Guidati dalla stella cometa, che qui appare per la prima volta nella pittura occidentale, i Re Magi giungono a porgere omaggio al Bambino Gesù.

La stessa ambientazione della *Natività,* osservata da diversa angolazione, secondo una precisa intenzione narrativa e razionale da parte di Giotto, è descritta attraverso la medesima capanna, alzata per dare spazio a una piccola Maestà con angeli.

*The* Visitation *shows the encounter between the Virgin and St Elizabeth, who both expect a child having been glorified by God. Elizabeth is to give birth to John the Baptist, and acknowledges Mary as the Mother of God with her greeting: "Blessed art thou among women and blessed is the fruit of thy womb!" Following the chronology of the gospels, the scene is placed after the* Annunciation, *above it and before the* Nativity *(35), which is the first of the New Testament episodes painted on the south wall.*

**Nave. South wall.**
**Giotto (1267?-1337).**
**Scenes from the Life of Christ** *(1303-1305).*
**The Nativity.**

*This celebrated and innovative composition became the model for many future representations of the subject.*

*The renewal of the iconography echoes the 13th-century literary tradition of the* Meditationes Vitae Domini Nostri Jesu Christi, *of Franciscan origin but widely diffused, which filled the episode with human tenderness and related it to everyday life: "... And the Queen of heaven sat with the pillion under her elbow and her face above the manger, with her eyes and heart turned completely towards her best-beloved Son [...] when the Lord was born, the multitude of angels that where there adored Him, and they went straight to the shepherds in the surrounding fields, as far as a mile distant, and announced where and when the Child was born".*

**Nave. South wall.**
**Giotto (1267?-1337).**
**Scenes from the Life of Christ** *(1303-1305).*
**The Adoration of the Magi,** *and detail.*

*The Three Kings come to pay homage to the Christ Child guided by the comet which appears in this frescoed composition for the first time in Western art.*

*The setting is the same as in the* Nativity, *seen from a different angle, in keeping with the narrative consistency typical of Giotto. The image of the stable is the same and was raised to allow some space for a small Maestà with angels.*

*35*

*36, 37*

**38, 99**

**Navata. Parete sud.**
**Giotto (1267?-1337).**
*Storie di Cristo* **(1303-1305).**
*La presentazione al tempio,* **e particolare.**

È nella tradizione ebraica che ogni maschio primogenito sia "sacro al Signore": la famiglia deve quindi portare un sacrificio di due colombe al tempio, per rispetto alla legge di Mosè. Il sacerdote Simeone, che attendeva l'incontro con il Salvatore preannunziatogli dallo Spirito Santo, in questa occasione riconobbe nel piccolo Gesù il conforto di Israele. (Lc 2, 22-39)

*Nave. South wall.*
*Giotto (1267?-1337).*
**Scenes from the Life of Christ** *(1303-1305).*
**The Presentation in the temple,** *and detail.*

*According to the Law of Moses every first-born male child is "sacred to the Lord": the family must therefore bring two doves in sacrifice to the temple. The priest Simeon, who was waiting for the appearance of the Saviour promised him by the Holy Spirit, recognises the Christ Child as he who will bring comfort to Israel (Luke 2: 22-39).*

**40, 41**

**Navata. Parete sud.**
**Giotto (1267?-1337).**
*Storie di Cristo* **(1303-1305).**
*La fuga in Egitto,* **e particolare.**

"Essi [i Magi] erano appena partiti, quando un angelo del Signore apparve in sogno a Giuseppe e gli disse: 'Alzati, prendi con te il Bambino e sua madre e fuggi in Egitto, e resta là finché non ti avvertirò, perché Erode sta cercando il Bambino per ucciderlo. Giuseppe, destatosi, prese con sé il bambino e sua madre nella notte e fuggì in Egitto, dove rimase fino alla morte di Erode". (Mt 2, 13-14)

*Nave. South wall.*
*Giotto (1267?-1337).*
**Scenes from the Life of Christ** *(1303-1305).*
**The Flight into Egypt,** *and detail.*

*"And then the angel of the Lord appeared to Joseph in a dream and said to him: 'Arise, and take the child and his mother, and flee into Egypt, and be thou there until I bring thee word: for Herod will seek the child to destroy him. When he arose, he took the child and his mother by night, and departed into Egypt, where they stayed until the death of Herod" (Matthew 2:13-14).*

**42, 43**

**Navata. Parete sud.**
**Giotto (1267?-1337).**
*Storie di Cristo* **(1303-1305).**
*La strage degli innocenti,* **e particolare.**

"Erode, accortosi che i Magi si erano presi gioco di lui, s'infuriò e mandò ad uccidere tutti i bambini di Betlemme e del suo territorio dai due anni in giù, corrispondenti al tempo su cui era stato informato dai Magi". (Mt 2, 16)

La celebre composizione, termine di paragone per molta pittura trecentesca, è disposta secondo una struttura già sperimentata ad Assisi, fra le storie francescane della Basilica inferiore.

Il massacro è sintetizzato in pochi gruppi o figure. Sul fondo le madri piangenti, in un coro disperato. Tristemente noto è l'assassino incappucciato e lacero sul fondo, dallo sguardo stupido e chiuso; terribile e tragica la composizione centrale, con lo sgherro che tira a sé il piccolo strappandolo alla madre; il terzo di spalle sostiene la testa di un bimbo, ma sta per colpirlo con la spada.

Non vi è più drammatica rappresentazione del mucchio di grigi corpicini ammassati in primo piano.

*Nave. South wall.*
*Giotto (1267?-1337).*
**Scenes from the Life of Christ** *(1303-1305).*
**The Massacre of the Innocents,** *and detail.*

*"Then Herod, when he saw that he was mocked of the wise men, was exceeding wroth, and sent forth and slew all the children that were in Bethlehem, and in all the coasts thereof, from two years old and under, according to the time which he had diligently inquired of the wise men" (Matthew 2:16). This celebrated composition, taken as a model by many 14th-century artists, adopts a scheme Giotto first used in Assisi in the Franciscan cycle in the Lower Basilica, concentrating on a limited group of figures. The weeping mothers form a desperate choir on one side, while the memorable and terrible hooded figure in a torn garment and his cruel accomplice, snatching a baby from the arms of its mother, dominate the centre of the composition. A third brute, to the right, is seen from behind as he prepares to slay another infant. In the foreground is the pathetic pile of tiny grey corpses.*

**Navata. Parete nord.**
**Giotto (1267?-1337).**
*Storie di Cristo* (1303-1305).
*Gesù fra i dottori.*

Il riquadro è il più danneggiato del ciclo pittorico della Cappella, deteriorato certamente a causa delle particolari condizioni climatiche subite dalla parete esposta a settentrione. La scena è composta su un lungo stallo ligneo semicircolare su cui sono disposti i dottori ebraici vinti dalla saggezza del giovane Gesù, mentre da un lato la Vergine e Giuseppe accorrono dopo la lunga ricerca del figlio, perduto da tre giorni nella grande città.

**Navata. Parete nord.**
**Giotto (1267?-1337).**
*Storie di Cristo* (1303-1305).
*Il Battesimo di Cristo*, e particolare.

Quattro splendidi angeli sorreggono le vesti con cui il Cristo sarà raffigurato entro tutto il ciclo; le due figure sulla sponda opposta del Giordano devono invece essere riconosciute come i due discepoli del Battista che il giorno successivo seguiranno Gesù: "Uno dei due che avevano udito le parole di Giovanni e lo avevano seguito, era Andrea, fratello di Simon Pietro. Egli incontrò per primo suo fratello Simone e gli disse: 'Abbiamo incontrato il Messia (che significa il Cristo)' e lo condusse da Gesù". (Gv 1, 40-42)

**Navata. Parete nord.**
**Giotto (1267?-1337).**
*Storie di Cristo* (1303-1305).
*Le nozze di Cana*, e particolare.

"Essendo venuto a mancare il vino, la madre di Gesù gli dice: 'Non hanno più vino'. E Gesù le dice: 'Che c'è tra me e te, donna? Non è ancora venuta la mia ora'. Sua Madre dice ai servi: 'Fate quello che vi dirà'". (Gv 1, 35-42)

La rappresentazione giottesca si sofferma su un momento posteriore, a miracolo avvenuto, quando "il maestro di tavola gustò l'acqua diventata vino".

**Navata. Parete nord.**
**Giotto (1267?-1337).**
*Storie di Cristo* (1303-1305).
*La resurrezione di Lazzaro*, e particolare.

Giotto replicherà l'episodio qualche anno do-

*Nave. North wall.*
*Giotto (1267?-1337).*
**Scenes from the Life of Christ** *(1303-1305).*
**Jesus among the doctors.**

*This scene is the most damaged one in the cycle; it has suffered from the adverse climatic conditions in its position on the north wall. The doctors and elders of the temple are shown against wooden choir-stalls as they listen to the young Christ and are captivated by his wisdom and understanding. Mary and Joseph appear on one side after having searched for their son for three days in the large city.*

*Nave. North wall.*
*Giotto (1267?-1337).*
**Scenes from the Life of Christ** *(1303-1305).*
**The Baptism of Christ,** *and detail.*

*Four splendid angels hold the garments in which Christ is depicted for the rest of the cycle. The two figures on the opposite bank of the Jordan are two of the Baptist's disciples who will become Christ's on the following day: "One of the two which heard John speak, and followed him, was Andrew, Simon Peter's brother. He first findeth his own brother Simon, and saith unto him, We have found the Messias, which is, being interpreted, the Christ. And he brought him to Jesus" (John 1:40-42).*

*Nave. North wall.*
*Giotto (1267?-1337).*
**Scenes from the Life of Christ** *(1303-1305).*
**The Marriage Feast of Cana,** *and detail.*

*"And when they wanted wine, the mother of Jesus saith unto him, They have no wine. Jesus saith unto her, Woman, what have I to do with thee? mine hour is not yet come. His mother saith unto the servants, Whatsoever he saith unto you, do it." (John 2: 3-5).*

*Giotto concentrates on the scene following the miracle when "the ruler of the feast had tasted the water that was made wine".*

*Nave. North wall.*
*Giotto (1267?-1337).*
**Scenes from the Life of Christ** *(1303-1305).*
**The Raising of Lazarus,** *and detail.*

*Giotto interpreted the same scene a few years*

*44*

*45, 46*

*47, 48*

*49, 50*

po, nella cappella della Maddalena per la Basilica inferiore di Assisi.

Marta e Maddalena inginocchiate ai piedi del Salvatore, il gesto imperioso di Cristo, la "mummia" costretta nel sudario dalle strette bende (terribile il volto morto su cui il respiro e lo sguardo tornano a fatica), due apostoli che sollevano i mantelli per proteggere le narici dal puzzo del cadavere fanno di questa scena una delle più riuscite dell'intera Cappella.

*later in the Chapel of the Magdalene in the Lower Basilica in Assisi. Martha and Mary kneel at Christ's feet while his arm is raised in a gesture of command, Lazarus is still bound in his winding sheet and his face is ashen as he struggles for breath and to return to life, two apostles cover their faces with their cloaks to block out the stench of the corpse; all these elements combine to make the scene one of the most effective in the whole cycle.*

**51, 52** **Navata. Parete nord.**
**Giotto (1267?-1337).**
***Storie di Cristo (1303-1305).***
***L'ingresso a Gerusalemme*, e particolare.**

L'ingresso di Cristo a Gerusalemme segna l'inizio della Passione: egli giunse alle porte della città a cavallo di un'asina col suo puledro, adempiendo così alle Scritture. (Is 62, 11; Zac 9, 9)

Una gran folla l'attendeva, che "stese i suoi mantelli sulla strada, mentre altri tagliavano rami dagli alberi e li stendevano sulla via". (Mt 21, 8)

*Nave. North wall.*
*Giotto (1267?-1337).*
**Scenes from the Life of Christ *(1303-1305)*.**
**Christ's Entry into Jerusalem, *and detail*.**

*Christ's entry into Jerusalem is the opening scene of the Passion: he rode to the gates of Jerusalem on a donkey with her foal, and so fulfilled the scriptures (Isaias 62:11; Zach 9:9). A crowd awaits him, and they "spread their garments, others cut down branches from the trees and strewed them in the way" (Matthew 21:8).*

**53, 54** **Navata. Parete nord.**
**Giotto (1267?-1337).**
***Storie di Cristo (1303-1305).***
***La cacciata dei mercanti dal tempio*,**
**e particolare.**

L'alta drammaticità della scena è in parte compromessa dalla non perfetta conservazione del dipinto. Intorno alla figura del Cristo, centrale e fortemente dinamico, si muovevano gli animali in fuga, alcuni oggi difficilmente osservabili, mentre il tavolo ribaltato in primo piano accentuava certamente il senso della veemenza con cui Cristo aveva affrontato i mercanti ormai costretti su un lato della scena.

I sacerdoti del tempio meditano la vendetta, chiusi e terribilmente minacciosi a una estremità, mentre, sull'altro lato, il gruppo degli Apostoli quasi fatica a seguire il maestro e già discute dello scandalo. Due bambini spaventati si accostano a loro: il primo portando in salvo una colomba trova riparo nel mantello di Pietro, un altro si aggrappa alle vesti di Giovanni che lo conforta.

*Nave. North wall.*
*Giotto (1267?-1337).*
**Scenes from the Life of Christ *(1303-1305)*.**
**The Expulsion of merchants from**
**the Temple, *and detail*.**

*The dramatic impact of this fresco survives despite the poor condition of the painted surface. The dynamic figure of Christ in the centre causes the, somewhat faded, animals to flee while the upturned table in the foreground added certainly power to Christ's anger as he ejected the merchants, huddled to one side of the composition, from his Father's temple.*

*A menacing group of priests, gathered and awfully menacing on one side of the scene, plots revenge, while on the other side some of the Apostles appear taken aback by their master and discuss about the scandal. Two frightened children stand beside them: the first shelters in Peter's cloak with a rescued dove, the other clings to John's garments, while the saint comforts him.*

**55** **Navata. Parete est.**
**Arco trionfale.**
**Giotto (1267?-1337).**

*Nave. East wall.*
*Triumphal arch.*
*Giotto (1267?-1337).*

**Storie di Cristo** (1303-1305).
*Il tradimento di Giuda.*

Giuda Iscariota si accorda con i gran sacerdoti per consegnare loro il Signore. Accetta i trenta denari consegnatigli da Caifa, mentre altri sacerdoti discutono dell'episodio. Giuda è seguito e presentato da Satana, l'orribile demone alle sue spalle; è chiaro il riferimento al passo evangelico più esplicito sull'avvenimento, che afferma: "Satana entrò in Giuda". (Lc 22, 3)

Con questa scena si concludono le storie di questo registro della decorazione, aperto con la *Visitazione* (**34**) sull'altro lato dell'arco trionfale; nel contempo prendono inizio le storie della Passione di Cristo, che si svolgeranno nel registro inferiore, a cominciare dalla parete di destra della Cappella, con l'*Ultima Cena* (**56**).

**Navata. Parete sud.**
**Giotto (1267?-1337).**
*Storie di Cristo* (1303-1305).
*L'ultima Cena*, e particolare.

"Detto questo, Gesù si commosse profondamente e dichiarò: 'In verità, in verità vi dico: uno di voi mi tradirà'. I discepoli si guardarono gli uni gli altri, non sapendo di chi parlasse. Ora uno dei discepoli, quello che Gesù amava, si trovava a tavola al fianco di Gesù. Simon Pietro gli fece un cenno e gli disse: 'Di', chi è colui a cui si riferisce?'. Ed egli reclinandosi così sul petto di Gesù, gli disse: 'Signore, chi è?'". (Gv 13, 21-25) "Ed egli disse loro: 'Uno dei Dodici, colui che intinge con me nel piatto'". (Mc 14, 20)

La narrazione evangelica è seguita fedelmente, dal turbamento di Cristo fortemente segnato nell'espressione, all'intervento di Pietro che parla seduto nell'angolo della sala, sotto la finestra aperta, dal gesto di Giovanni (quello che Gesù amava), a quello di Giuda, di spalle, le cui dita scompaiono nel piatto dove Cristo si serve.

Sul capo di Giuda, la cui veste gialla era già stata descritta nell'episodio del *Tradimento* (**55**), un'ombra lo distingue dagli altri.

**Navata. Parete sud.**
**Giotto (1267?-1337).**
*Storie di Cristo* (1303-1305).
*La lavanda dei piedi*, e particolare.

"Mentre cenavano [...] si alzò da tavola, depose le vesti, e preso un asciugatoio, se lo cinse at-

**Scenes from the Life of Christ** *(1303-1305).*
**The Betrayal by Judas.**

*Judas Iscariot comes to an agreement with the high priests to hand over Christ. He accepts the thirty pieces of silver offered him from Caiaphas, while other priests discuss the deal. Judas is guided and pushed forward by Satan, the nasty black demon behind him; an obvious reference to Luke 22:3: "Then entered Satan into Judas"*

*With this scene end the stories of this register of the decoration, which opened with the* Visitation *(34) on the other side of the triumphal arch. The scenes with the Passion of Christ now unfold in the lower register of the Chapel, starting with the* Last Supper *(56) painted on the right wall.*

**Nave. South wall.**
**Giotto (1267?-1337).**
**Scenes from the Life of Christ** *(1303-1305).*
**The Last Supper,** *and detail.*

*Jesus was very troubled and turned to his disciples saying "Verily verily I say unto you, that one of you shall betray me. Then the disciples looked one on another doubting of whom he spake. Now there was leaning on Jesus' bosom one of his disciples whom Jesus loved. Simon Peter therefore beckoned to him that he should ask who it should be of whom he spake. He then lying on Jesus' breast saith unto him, Lord, who is it?" (John 13:21-25). "And he answered and said unto them, It is one of the twelve, that dippeth with me in the dish" (Mark 14:20).*

*The Evangelists' account is followed closely with the depiction of the troubled Christ, Peter questioning him from the corner of the room, under the open window, John (the one whom Jesus loved) reclines on Christ's breast while Judas is seen from behind, his fingers dipped into the dish with Christ. A shadow over Judas's cloak, already worn in the scene of the* Betrayal, *(55) sets him apart from the others.*

**Nave. South wall.**
**Giotto (1267?-1337).**
**Scenes from the Life of Christ** *(1303-1305).*
**The Washing of the feet,** *and detail.*

*"He riseth from supper, and laid aside his garments; and took a towel, and girded himself. After*

56, 57

58, 59

torno alla vita. Poi versò acqua nel catino e cominciò a lavare i piedi dei discepoli e ad asciugarli con l'asciugatoio di cui si era cinto. Venne dunque da Simon Pietro e questi gli disse: 'Signore, tu lavi i piedi a me?'. Rispose Gesù: 'Quello che faccio, tu ora non lo capisci, ma capirai dopo'. Gli disse Simon Pietro: 'Non mi laverai mai i piedi!'. Gli rispose Gesù: 'Se non ti laverò, non avrai parte con me'. Gli disse Simon Pietro: 'Signore, non solo i piedi, ma anche le mani e il capo!'". (Gv 13, 2-9)

*that he poureth water into a basin, and began to wash the disciples feet and to wipe them with the towel wherewith he was girded. Then cometh he to Simon Peter: and Peter saith unto him, Lord, dost thou wash my feet? Jesus answered and said unto him, What I do thou knowest not now; but thou shall know hereafter. Peter saith unto him. Thou shalt never wash my feet. Jesus answered him, If I wash thee not, thou hast no part with me. Simon Peter saith unto him Lord not my feet only, but also my hands and my head." (John 13: 4-9).*

*60, 61*

**Navata. Parete sud.**
**Giotto (1267?-1337).**
***Storie di Cristo (1303-1305).***
***La cattura di Cristo, e particolare.***

La celebre composizione è tanto densa di episodi singolarmente memorabili quanto equilibrata e composta come una straordinaria macchina drammaturgica, a formare la più imitata delle "Catture di Cristo".

Il sistema di rappresentazione muove attorno al centro fisico ed emotivo della scena, costituito dal gruppo formato da Cristo e Giuda, quasi completamente assorbito dal mantello giallo del traditore. Il volto di Cristo, severo e consapevole, si oppone, vicinissimo, a quello di Giuda, deformato dal bacio fino a prendere fattezze animali, mentre lo sguardo limpido di Gesù attraversa quello stupido e disperato dell'avversario. Sulla destra, si scorge il sacerdote Anna dalla veste rossa; in primissimo piano un terzo sacerdote indica Gesù alle guardie.

Sul lato opposto della scena il momento più basso della storia cristiana: la fuga dei discepoli di Gesù. Pietro reagisce tagliando l'orecchio di Malco, colpendolo alle spalle.

*Nave. South wall.*
*Giotto (1267?-1337).*
**Scenes from the Life of Christ *(1303-1305)*.**
**The Arrest of Christ, *and detail*.**

*This justly celebrated scene is packed with memorable passages, the whole combined to make a powerful dramatic statement, creating the model for innumerable later depictions of the same subject.*

*The physical and emotional core of the painting centres on Christ and Judas, both figures almost entirely encompassed by Judas's yellow mantle. Christ's gaze is both severe and full of understanding. He looks serenely towards Judas but also beyond him. Judas by contrast appears stupid and desperate, his face distorted by the kiss into a brutish animal grimace. The high priest Annas is on the right in a red cloak; in the foreground another priest points Christ out to the guards.*

*Far to the left is one of the lowest points in Christian history when the disciples desert Christ. Peter reacts by cutting off Malchus's ear from behind.*

*62, 63*

**Navata. Parete sud.**
**Giotto (1267?-1337).**
***Storie di Cristo (1303-1305).***
***Cristo davanti al Sinedrio, e particolare.***

"... il sommo sacerdote gli disse: 'Ti scongiuro, per il Dio vivente, perché ci dica se tu sei il Cristo, il Figlio di Dio'. 'Tu l'hai detto, gli rispose Gesù, anzi io vi dico: d'ora innanzi vedrete *il figlio dell'uomo / seduto alla destra di Dio, / e venire sulle nubi del cielo'.* Allora il sommo sacerdote si stracciò le vesti dicendo: 'Ha bestemmiato! Perché abbiamo ancora bisogno di testimoni?

*Nave. South wall.*
*Giotto (1267?-1337).*
**Scenes from the Life of Christ *(1303-1305)*.**
**Christ before the Sanhedrin, *and detail*.**

*"And the high priest said: 'I adjure thee by the living God, that thou tell us whether thou be the Christ, the Son of God. Jesus saith unto him, Thou hast said: nevertheless I say unto you, Hereafter shall ye see* the Son of man sitting on the right of God, and coming in the clouds of heaven. *Then the high priest rent his clothes, saying, He has spoken blasphemy: what further need have we of*

Ecco, ora avete udito la bestemmia; che ve ne pare?'. E quelli risposero: 'È reo di morte!'. Allora gli sputarono in faccia e lo schiaffeggiarono; altri lo bastonavano, dicendo: 'Indovina, Cristo! Chi è che t'ha percosso?'". (Mt 26, 63-68)

Allora "... una delle guardie presenti diede uno schiaffo a Gesù, dicendo: 'Così rispondi al grande Sacerdote?'. Gli rispose Gesù: 'Se ho parlato male, dimostrami dov'è il male; ma se ho parlato bene, perché mi percuoti?'". (Gv 18, 22-23)

*witnesses? We have heard his blasphemy. What think ye? They answered, He is guilty of death. Then did they spit in his face and buffeted him: others smote him saying, Prophesy unto us, thou Christ, Who is he that smote thee?" (Matthew 26, 63-68). "One of the officers which stood by struck Jesus, saying Answerest thou the high priest so? Jesus answered him, If I have spoken evil, bear witness of the evil: but if well, why smitest thou me?" (John 18: 22-23).*

**Navata. Parete sud.**
**Giotto (1267?-1337).**
*Storie di Cristo* **(1303-1305).**
*Cristo deriso*, **e particolare.**

Il riquadro unisce la presenza di Pilato che discute con i sacerdoti alla disperata rappresentazione del Cristo deriso. L'ambiente è il cortile del palazzo del pretorio di Gerusalemme. Su un lato Cristo, che è appena stato flagellato e, per sfregio, incoronato di spine e vestito di porpora, subisce le ingiurie di servi e soldati. Qualcuno gli tira i capelli e la barba, qualcuno lo colpisce alle spalle, gli sputano in faccia e si inginocchiano per schernirlo, salutandolo come il re dei Giudei.

*Nave. South wall.*
*Giotto (1267?-1337).*
**Scenes from the Life of Christ** *(1303-1305).*
**Mocking of Christ,** *and detail.*

*This scene unites Pilate discussion with the priests and elders together with Christ being mocked. The setting is the courtyard of the high priest's palace in Jerusalem. Christ is to one side, having just been beaten and been given a crown of thorns and regal cloak. He is being prodded and jeered at by the servants and soldiers. One pulls his hair and beard, another hits him from behind, another spits in his face, while another kneels to hail him as the King of the Jews.*

64, 65

**Navata. Parete nord.**
**Giotto (1267?-1337).**
*Storie di Cristo* **(1303-1305).**
*L'andata al Calvario.*

Seppure gravemente danneggiata appare ancora straordinariamente efficace l'*Andata al Calvario*, che è certo tra i riquadri più tragici del ciclo Scrovegni.

La figura di Gesù prelude a secoli di pittura, in particolare veneta, che sul tema del Cristo portacroce si soffermerà con sempre nuovi motivi di meditazione.

*Nave. North wall.*
*Giotto (1267?-1337).*
**Scenes from the Life of Christ** *(1303-1305).*
**The road to Calvary.**

*Although badly damaged the Road to Calvary, remains extraordinarily effective and is one of the most heart-rending scenes in the cycle of the Scrovegni Chapel.*

*The figure of Christ carrying the Cross is taken as a model for centuries afterwards, especially in Venetian painting.*

66

**Navata. Parete nord.**
**Giotto (1267?-1337).**
*Storie di Cristo* **(1303-1305).**
*La Crocifissione*, **e particolare.**

Fu in ambito francescano, in particolare, che il tema della *Crocifissione* divenne centrale alla devozione e, di conseguenza, ripetuto ed elaborato sul piano iconografico come non mai nel corso del Medioevo occidentale.

I due tradizionali gruppi in cui l'immagine è suddivisa, devoti da un lato e malvagi dall'altro,

*Nave. North wall.*
*Giotto (1267?-1337).*
**Scenes from the Life of Christ** *(1303-1305).*
**The Crucifixion,** *and detail.*

*The devotional theme of the Crucifixion gained a place of central importance, especially in Franciscan circles, and was therefore increasingly widespread, with iconographical developments in western art throughout the Middle ages.*

*The scene traditionally divided into two*

67, 68

convergono verso il vuoto centro della scena dove si accampa la croce saldamente confitta sulla creta del Golgota.

Il gruppo dei dolenti è ridotto a poche figure sul primo piano. La Maddalena deterge i piedi trafitti di Cristo con i morbidi capelli rossi; Giovanni e un'altra Maria sostengono la Vergine cedente e abbandonata al dolore.

Il gruppo di destra è prevalentemente occupato dal racconto sulla veste di Gesù, perfettamente mimato: "la tunica era senza cuciture, tessuta da cima a fondo tutta di un pezzo. Dissero dunque fra loro: 'Non la strappiamo, ma tiriamo a sorte a chi tocca'. Avvenne questo affinché si adempisse la scrittura: *Si spartirono le mie vesti, e gettarono la sorte sul mio abito*". (Gv 19, 23-24)

Alle spalle di questi Longino, colui che sarà redento e martirizzato per la sua fede, è il centurione che riconosce Gesù come il figlio di Dio.

**69, 70**

**Navata. Parete nord.**
**Giotto (1267?-1337).**
*Storie di Cristo* **(1303-1305).**
*Il compianto sul Cristo morto,*
**e particolare.**

La composizione è una variazione sul tema già trattato in età molto giovanile nella Basilica superiore di Assisi, secondo una tradizione iconografica duecentesca. In questa scena la capacità poetica giottesca raggiunge uno dei suoi vertici.

**71, 72**

**Navata. Parete nord.**
**Giotto (1267?-1337).**
*Storie di Cristo* **(1303-1305).**
*Noli me tangere*, **e particolare.**

La Maddalena è ricordata dall'iconografia medievale come la portatrice dell'unguento, colei che si recò alla tomba di Cristo per curarne la salma. Naturalmente giunta al sepolcro lo trovò scoperchiato e un angelo le chiese: "'Donna, perché piangi?'. Rispose loro: 'Hanno portato via il mio Signore e non so dove lo hanno posto'. Detto questo, si voltò indietro e vide Gesù che stava lì in piedi; ma non sapeva che era Gesù. Le disse: 'Donna perché piangi? Chi cerchi?'. Essa, pensando che fosse il custode del giardino, gli disse: 'Signore, se l'hai portato via tu, dimmi dove lo hai posto e io andrò a prenderlo'. Gesù le disse: 'Maria!'. Essa allora, voltatasi verso di lui, gli disse in ebraico: 'Rabbuni', che significa: Maestro!

*groups, with Christ's followers on one side and his enemies on the other, is focused on the Cross at the centre mounted on the rocky hill of Golgotha.*

*The group of mourners is reduced to a few figures in the foreground. The Magdalene wipes the pierced feet with her flowing red hair; John and the other Mary support the Virgin who is collapsing with grief. The group on the right is arguing about Christ's garments: "now the coat was without seam, woven from the top throughout. They said therefore among themselves, Let us not rend it, but cast lots for it, whose it shall be: that the scripture might be fulfilled, which saith, They parted my raiment among them, and for my vesture they did cast lots." (John 19: 23-24). The centurion Longinus who stands behind them recognises Jesus as the son of God. He is later martyred for his faith.*

*Nave. North wall.*
*Giotto (1267?-1337).*
**Scenes from the Life of Christ** *(1303-1305).*
**The Lamentation over the dead Christ,**
*and detail.*

*This composition is a variation on the theme Giotto adopted much earlier in the Lower Basilica in Assisi, following traditional 13th-century iconography. This celebrated scene full reveals Giotto's extraordinary poetic powers.*

*Nave. North wall.*
*Giotto (1267?-1337).*
**Scenes from the Life of Christ** *(1303-1305).*
**Noli me tangere,** *and detail.*

*The Magdalene appears in medieval iconography as bringing ointments to the tomb of Christ to embalm the corpse. When she reached the tomb she found it empty and an angel asked her: "Woman why weepest thou? She saith unto them, Because they have taken away my Lord, and I know not where they have laid him. And she turned herself back and saw Jesus standing, and knew not that it was Jesus. Jesus saith unto her, woman why weepest thou? whom seekest thou? She, supposing him to be the gardener, saith unto him, Sir, if thou have borne him hence tell me where thou hast laid him, and I will take him away. Jesus saith her, Mary. She turned herself and saith him, Rabboni; which is to say, Master. Jesus saith*

Gesù le disse: 'Non mi trattenere, perché non sono ancora salito al Padre; ma va dai miei fratelli
e dì loro: Io salgo al Padre mio e Padre vostro,
Dio mio e Dio vostro'". (Gv 20, 13-17)

*unto her, Touch me not; for I am not yet ascended
to my father: but go to my brethren, and say unto
them. I ascend unto my and your Father; and to
my and your God" (John 20: 13-17).*

**Navata. Parete nord.**
**Giotto (1267?-1337).**
*Storie di Cristo (1303-1305).*
*L'Ascensione, e particolare.*

   "Detto questo, fu elevato in alto sotto i loro
occhi e una nube lo sottrasse al loro sguardo. E
poiché essi stavano fissando il cielo mentre egli se
ne andava, ecco due uomini in bianche vesti si
presentarono a loro e dissero: 'Uomini di Galilea,
perché state a guardare il cielo? Questo Gesù, che
è stato tra di voi assunto fino al cielo, tornerà un
giorno allo stesso modo in cui l'avete visto anda-
re in cielo'". (At 1, 9)
   L'Ascensione su cui si concludono alcuni Vangeli sinottici (Mc 16, 19; Lc 24, 50) è più dettagliatamente descritta al principio degli *Atti degli
Apostoli*; qui si accenna alle due figure angeliche
che si rivolgono ai discepoli, alla nube in cui Cristo svanisce e all'atteggiamento degli Apostoli
che fissano il cielo proteggendosi dalla luce, particolari volutamente toccati nella composizione
giottesca.

*Nave. North wall.*
*Giotto (1267?-1337).*
**Scenes from the Life of Christ** *(1303-1305).*
**The Ascension,** *and detail.*

73, 74

   *"And when he had spoken these things, while
they beheld he was taken up; and a cloud
received him out of their sight. And while they
looked steadfastly toward heaven as he went up,
behold two men stood by them in white apparel;
Which also said, Ye men of Galilee why stand ye
gazing up into heaven? this same Jesus, which is
taken up from you into heaven, shall so come in
like manner as ye have seen him go into heav-
en." (Acts 1: 9-11). The Ascension described at
the end of two of the synoptic gospels (Mark
16:19; Luke 24:50) is given more detailed treatment in the* Acts of the Apostles. *In Giotto's ver-
sion we see the two angels addressing the disciples, the cloud bearing Christ up to heaven and
the Apostles shielding their eyes from the blind-
ing light, the touching, human detail so typical
of Giotto.*

**Navata. Parete nord.**
**Giotto (1267?-1337).**
*Storie di Cristo (1303-1305).*
*La Pentecoste.*

   Durante la celebrazione della festa ebraica della Pentecoste, dieci giorni dopo l'ascensione di
Cristo, gli Apostoli riuniti ricevettero il dono dello Spirito Santo e appresero miracolosamente a
parlare le lingue del mondo conosciuto: "Venne
all'improvviso dal cielo un rombo, come di ven-
to che si abbatte gagliardo, e riempì tutta la casa
dove si trovavano". (At 2, 2)

*Nave. North wall.*
*Giotto (1267?-1337).*
**Scenes from the Life of Christ** *(1303-1305).*
**The Pentecost.**

75

   *During the celebration of the feast of the
Pentecost, ten days after Christ's Ascension, the
Apostles received the Holy Spirit while gathered
together and learned to speak all the known lan-
guages of the world: "And suddenly there came
a sound from heaven as of a rushing mighty
wind, and it filled all the house where they were
sitting" (Acts 2:2).*

**Navata. Parete ovest.**
**Giotto (1267?-1337), e bottega.**
*Il Giudizio Universale (1303-1305).*

   La grandiosa composizione è dominata dal Cristo Giudice. La sua mano sinistra respinge i Reprobi, ma l'attenzione è rivolta verso i Beati. La
larga curva della pedana per i troni degli Apostoli è vista dall'alto e descrive la profondità media
e anteriore. Le schiere degli Angeli armati arri-

*Nave. West wall.*
*Giotto (1267?-1337), and workshop.*
**The Last Judgement** *(1303-1305).*

76

   *This majestic composition is dominated by the
Christ in Judgement. With his left hand he
rejects the Damned, while his attention is
focused on the Blessed. The large curve of the
platform for the Angelic thrones is seen from
above and it provides a sense of depth. This is*

vano da uno spazio più profondo. Più piccoli, e presumibilmente ancora più lontani, si vedono in alto due robusti angeli in atto di arrotolare i cieli come un libro (Is 34, 4) e di svelare il nuovo cielo e la nuova Gerusalemme. Dei cori angelici una parte dei Serafini e dei Cherubini, insieme a quattro Angeli con trombe, fanno corona alla mandorla iridescente di Cristo, ma la schiera dei rossi Serafini è anche la prima a sinistra della finestra. Viene seguita dai Troni. I celesti Cherubini dovrebbero essere i guerrieri ai due lati della trifora. Al di sotto di san Pietro vediamo la bellissima figura di Santa Maria della Carità in veste regale accompagnata da angeli.

Ancora più in basso le figurine dei risorti. Sullo stesso piano roccioso, ma più vicino allo spettatore, si è inginocchiato Enrico Scrovegni per presentare il modello della Cappella a Santa Maria della Carità accompagnata da san Giovanni Evangelista e santa Caterina. Il 28 marzo un raggio di sole passa per breve tempo fra le mani della Vergine e di Enrico Scrovegni e arriva alla porta dipinta del modello. Al centro della composizione la grande croce della Passione di Cristo, portata da due angeli, separa il Paradiso dall'Inferno.

Al di là della croce comincia l'orrendo e caotico regno di Satana. Non si vede la resurrezione dei reprobi, perché li troviamo già condannati alla seconda morte quando scendono dall'arco della porta o precipitano fra le quattro correnti del fiume di fuoco sgorganti sotto la mandorla del Giudice. Satana per l'altezza è soltanto secondo al Giudice, e i suoi sudditi in proporzione sembrano minuscoli se confrontati con i Beati. Lucifero, imitato da rettili, insaziabilmente afferra dannati e li divora per partorirli di nuovo. La parte sinistra sembra riservata agli avari e agli avidi, a quelli che hanno praticato l'usura (come, secondo la fama, avrebbe fatto il padre di Enrico Scrovegni) o la simonia, ed è in evidenza fra di loro il traditore Giuda.

*increased by the choirs of Angels which recede still further into the distance. Smaller and presumably still further away are two angels in the process of rolling up the heavens as though they were a scroll (Isiaas 34:4), to reveal a new heaven and a new Jerusalem. The choirs of angels, Seraphim and Cherubim, together with four Angels with trumpets, are grouped on top of the iridescent Christ in a mandorla. A row of red Seraphim is also at the front of the group to the left of the window, followed by Thrones. The blue Seraphim are the warrior angels on both sides of the window. Below St Peter we see the beautiful figure of Our Lady of Charity in regal garments accompanied by angels.*

*In the lower half are the figures of those raised from the dead. On the same level but closer to the spectator Enrico Scrovegni kneels to present his model of the Chapel to Our Lady of Charity accompanied by St John the Evangelist and St Catherine. On 28 March a ray of sunshine passes briefly through the hands of the Virgin and of Enrico Scrovegni to shine on the door of the painted model of the Chapel. At the centre of the composition the Cross of the Passion, carried by two angels, separates Paradise from Hell. On the right of the Cross is the infernal and chaotic realm of Satan. The damned see no resurrection, condemned as they are to a second death as they descend from the entrance archway or fall down the four currents of fire erupting below Christ's mandorla. Satan is the largest figure apart from Christ himself, though his subjects appear tiny when compared to the Blessed. Lucifer, like some giant reptile, greedily devours the damned only to give birth to them again. The left section seems to be the reserve of the gluttons and of those who practised usury (such as Enrico Scrovegni's father) or simony, with Judas prominent among them.*

**77** **Navata. Parete sud.**
**Giotto (1267?-1337).**
*Allegorie delle Virtù e dei Vizi* **(1305 ca).**
**Prudenza.**

La *Prudenza* è rappresentata in veste di studiosa con leggìo e libro. La sua cattedra, con uno splendido schienale di ferro battuto, è vista di scorcio e sembra sporgere dalla nicchia poco

*Nave. South wall.*
*Giotto (1267?-1337).*
**Allegories of Virtues and Vices *(ca. 1305).***
**Prudence.**

Prudence *is shown in the guise of a scholar with a book and lectern. Her chair with a splendid back in wrought iron appears to jut out from the shallow niche. She is looking intently into the*

profonda. La figura guarda attentamente verso lo specchio nella sua mano sinistra. Tiene pronto nella destra un compasso, simbolo della misurazione esatta. Sulla testa una benda separa i due volti, quello giovane femminile dall'altro che rappresenta un vecchio barbuto.

**Navata. Parete nord.**
**Giotto (1267?-1337).**
*Allegorie delle Virtù e dei Vizi (1305 ca).*
*Stoltezza.*

L'obeso personaggio dipinto da Giotto è l'incarnazione della presuntuosa *Stoltezza*. La povera camicia stracciata contrasta con la stravagante lunga coda che ricorda le penne di un pavone. L'uomo fa finta di possedere una potenza regale, portando la corona di penne. La figura tiene la testa boriosamente levata in direzione del *Cristo Giudice* della controfacciata. A bocca aperta, la sinistra alzata nel gesto di chi chiede attenzione, nella destra un nodoso bastone, il finto re sembra sfidare il Signore che regnerà in eterno.

**Navata. Parete sud.**
**Giotto (1267?-1337).**
*Allegorie delle Virtù e dei Vizi (1305 ca).*
*Fortezza.*

La robusta *Fortezza* in veste lunga e corazza è munita di un'arma. Combatte in nome della croce incisa sulla sua corazza. Ha già ucciso il leone. Come Ercole, la pelle della bestia le ricopre il capo e le spalle, ed è allacciata al petto. Sullo scudo vediamo un leone rampante, e lance nemiche hanno colpito sia la bestia che altre parti dello strumento di difesa.

**Navata. Parete nord.**
**Giotto (1267?-1337).**
*Allegorie delle Virtù e dei Vizi (1305 ca).*
*Incostanza.*

L'*Incostanza*, rassomigliante all'antica Fortuna seduta sulla ruota, tenta un equilibrio impossibile su una china marmorea scivolosa. La rapidità della discesa irrefrenabile fa svolazzare il velo attorno alla testa.

**Navata. Parete sud.**
**Giotto (1267?-1337).**
*Allegorie delle Virtù e dei Vizi (1305 ca).*

*mirror held in her left hand. She holds in her right hand a compass, a symbol of exact measure. On her head a bandage separates the two halves of the face, one as a young woman and the other showing the appearance of an older bearded man.*

*Nave. North wall.*
*Giotto (1267?-1337).*
**Allegories of Virtues and Vices** *(ca. 1305).*
**Foolishness.**

*The obese figure painted by Giotto is the personification of the self-opinionated* Foolishness. *The shabby torn garment contrasts with the extravagant long train reminiscent of a peacock's feathers. The man wants to impress us with his regal power, wearing a crown of feathers. He raises his head in the direction of the* Christ in Judgement *on the counter-façade. His mouth open, his left hand raised to demand our attention, a knotty stick in his right hand, this mock king seems to challenge Christ who reigns eternally.*

*Nave. South wall.*
*Giotto (1267?-1337).*
**Allegories of Virtues and Vices** *(ca. 1305).*
**Fortitude.**

*The powerful figure of* Fortitude *with a long garment and armour also carries a weapon. Fortitude fights in the name of the Cross engraved on the armour. A lion has already been slain and as with Hercules the lion's skin covers his head and shoulders and is tied at his chest. The shield bears a rampant lion, and enemy spears have hit the beast and other parts of the shield.*

*Nave. North wall.*
*Giotto (1267?-1337).*
**Allegories of Virtues and Vices** *(ca. 1305).*
**Inconstancy.**

Inconstancy *is depicted like the ancient* Fortune *seated on a wheel, trying to achieve impossible stability on a sliding marble slope. Her rapid descent causes her veil to billow about her head.*

*Nave. South wall.*
*Giotto (1267?-1337).*
**Allegories of Virtues and Vices** *(ca. 1305).*

**Temperanza.**

Serenità ed equilibrio caratterizzano la Virtù. Porta una veste lunga e disadorna. La briglia in bocca e la spada legata al fodero mostrano che la *Temperanza* si astiene da parole appassionate e ancor di più dall'uso incauto delle armi.

**82**
**Navata. Parete nord.**
**Giotto (1267?-1337).**
*Allegorie delle Virtù e dei Vizi* **(1305 ca).**
*Ira.*

In preda alla sua rabbiosa passione, l'*Ira* si lacera la lunga veste sopra il petto con le mani. Alla furia smisurata di questo Vizio corrispondono i capelli sciolti e disordinati.

**83**
**Navata. Parete sud.**
**Giotto (1267?-1337).**
*Allegorie delle Virtù e dei Vizi* **(1305 ca).**
*Giustizia.*

La maestosa Virtù incoronata, seduta frontalmente, con grande equità tiene nelle mani i piatti della bilancia. I fianchi dell'ampia e leggera struttura gotica del trono servono anche come base d'appoggio alle due figurine dei giudicati. A sinistra l'uomo buono viene incoronato da una figura giovanile alata, simile a una Vittoria, posta su uno dei piatti. Sul disco di destra della bilancia si vede un barbuto giustiziere che sta per decapitare un malfattore. La *Giustizia* è l'unica delle Virtù a sfoggiare ricchi ornamenti: oltre alla corona, alla spilla e alla cintura metallica, anche una cuffia adornata di perle.

La predella del trono della Virtù racchiude il finto rilievo con gli effetti di libertà, gioia e sicurezza che la campagna gode sotto il regime giusto. Vediamo a sinistra un giovane cavaliere e la sua dama che seguono due vivaci cani per la caccia col falcone. Al centro un'altra coppia, più rustica della prima, balla vicino a un casone di paglia al suono di nacchere e di un tamburello in mano a una giovinetta. Da destra arrivano due viaggiatori a cavallo, presumibilmente mercanti.

**84**
**Navata. Parete nord.**
**Giotto (1267?-1337).**
*Allegorie delle Virtù e dei Vizi* **(1305 ca).**
*Ingiustizia.*

In questa allegoria l'*Ingiustizia* è un uomo barbuto che guarda verso il *Giudizio Universale* e in

**Temperance.**

*Serenity and balance are the main qualities of this virtue.* Temperance *wears a long simple robe. The bound mouth and sword tied in its sheath indicate that Temperance abstains from passionate speech and the incautious use of arms.*

**Nave. North wall.**
**Giotto (1267?-1337).**
**Allegories of Virtues and Vices** *(ca. 1305).*
**Anger.**

Anger *is depicted in the throws of passionate rage, using both hands to rip open her garment at the breast. The long unkempt hair further suggests the lack of self control.*

**Nave. South wall.**
**Giotto (1267?-1337).**
**Allegories of Virtues and Vices** *(ca. 1305).*
**Justice.**

*This majestic, serene, seated and crowned Virtue, with a great sense of equity holds scales in her hands. The large but light gothic throne also serves as the base for the two little figures weighed in judgement. To the left the good man is crowned by a young winged figure, like a Victory on one of the scales, while on the right scale a bearded executioner is about to decapitate a malefactor.* Justice *is the only Virtue to be richly decorated: she wears a crown, metal belt and brooch, and her hair are gathered in a bonnet adorned with pearls.*

*The predella on the throne bears a fictive relief showing the beneficial effects of liberty, joy and security brought to the country by a just regime. To the left a young knight and his lady follow two lively hounds as they hunt with a falcon. In the centre another couple, more humble than the first, dance beside a straw hut to the sound of the castanets and of a drum held by a young girl. Two travellers, probably merchants, arrive on horseback from the right.*

**Nave. North wall.**
**Giotto (1267?-1337).**
**Allegories of Virtues and Vices** *(ca. 1305).*
**Injustice.**

*In this allegory* Injustice *is depicted as a bearded man looking towards the* Last Judgement *and*

direzione di Satana nell'Inferno. È l'unico personaggio seduto del ciclo dei *Vizi* e sta nella posizione centrale della parete. Porta una maglia di ferro sotto gli abiti da giudice e troneggia davanti alla porta merlata di un castello, il posto tradizionale per far giustizia. Ma le crepe ai lati della porta dimostrano che in quel luogo regnano negligenza e disordine, associati alla rapacità e sopraffazione di un signorotto. Egli ha le zanne che gli spuntano dal labbro inferiore e le unghie adunche di una bestia crudele. La mano destra tiene un raffio, mentre la sinistra posa sull'elsa di una spada. Immediatamente di fronte ai piedi dell'uomo crescono alberi e rendono ancora più selvaggio il luogo che continua in basso fra le rocce con una scena di briganti da strada i quali hanno assalito un cavaliere di passaggio che giace morto per terra. Uno dei malviventi si è impadronito del cavallo, mentre gli altri stanno intorno a una donna stramazzata a terra e spogliata. Più a destra due armati sono pronti per una nuova impresa brigantesca.

**Navata. Parete sud.**
**Giotto (1267?-1337).**
*Allegorie delle Virtù e dei Vizi (1305 ca).*
*Fede.*

La nobile figura della *Fede* pone con la mano destra una croce astile sul torso della statua di un idolo pagano. La sinistra tiene un rotolo sul quale si legge la prima parte della professione di fede: *Credo in Deum Patrem omnipotentem creatorem celi et terre et in Iesum Christum filium Dei unigenitum.* Contrastano con la corona, simbolo di potere, il manto e la tunica della *Virtù* lacerati da diversi strappi. La *Fede* s'innalza sopra la roccia, la pietra sulla quale fu edificata la Chiesa. Calpesta un libro, presumibilmente con scritti eretici, e fogli con disegni interpretati o come segni cabalistici oppure come un oroscopo con la rappresentazione dello zodiaco. La *Virtù* porta legata al fianco destro la chiave per il regno dei cieli.

**Navata. Parete nord.**
**Giotto (1267?-1337).**
*Allegorie delle Virtù e dei Vizi (1305 ca).*
*Infedeltà.*

In alto un profeta tenta invano di convertire la figura dell'*Infedeltà*. Sembra che il *Vizio* si sia messo in testa un elmo con una protezione per gli orec-

*towards Satan in hell on the counter-façade. He is the only seated personage among the* Vices *and he wears chain mail under his judge's robe. He is seated in front of the battlemented entrance to a castle, the traditional site for the execution of Justice. But the cracks to the side of the door indicate that there negligence and disorder reign, under a rapacious and overpowering ruler. He has fangs jutting out from his lower jaw and the long claws of a cruel beast. His right hand holds a grappling hook while his left clutches the hilt of a sword. Trees grow immediately below his feet, increasing the impression of a wilderness which continues through the rocky landscape with a scene of brigands who have attacked a lone rider and left him for dead at the side of the road. One of the brigands has appropriated the rider's horse while more villains surround a woman lying stripped and defenceless on the ground. Further to the right two armed men are preparing a new brigandish attack.*

**Nave. South wall.**
**Giotto (1267?-1337).**
**Allegories of Virtues and Vices (ca. 1305).**
**Faith.**

*The noble figure of* Faith *holds a processional cross in her right hand over the statue of a pagan idol. In the left she holds a scroll in which we read the opening words of the Creed:* Credo in Deum Patrem omnipotentem creatorem caeli et terrae et in Iesum Christum filium Dei unigenitum. *Her crown, a symbol of power, contrasts with the shredded cloak of* Virtue. Faith *stands above the rock upon which the Church is built. She treads on a book, presumably an heretical text and sheets with drawings, interpreted either as cabalistic signs or as a horoscope with signs of the Zodiac. At her right side this allegory holds the key to the kingdom of Heaven.*

**Nave. North wall.**
**Giotto (1267?-1337).**
**Allegories of Virtues and Vices (ca. 1305).**
**Infidelity.**

*A prophet from above tries in vain to convert the figure of* Infidelity. *The Vice appears as wearing a helmet and covers her ears specifi-*

chi con lo scopo preciso di non poter sentire la parola di Dio. Dunque non è l'idolatria di un ignorante, ma di un personaggio infedele alla vera religione. Porta intorno al collo una corda ed è tenuta a guinzaglio dalla figurina posta sulla mano destra del *Vizio*.

L'*Infedeltà* ha gli occhi strabici o ciechi e sta malferma sulla gamba sinistra, sollevando il manto per non inciampare con il piede zoppicante. Davanti a lei è acceso un fuoco, pericolosamente vicino alla sua lunga tunica.

*cally to block out the word of God in order not to hear. We are not dealing with the idolatry of the uninformed but with a personage turning deliberately from the true religion. There is a rope around his neck and he is kept on a lead by a little figure on the right hand of the* Vice.

Infidelity *has cross eyes or is blind and has a game left leg and lifts up her cloak so as not to trip with her limping foot. Behind her a fire is lit dangerously near her long robe.*

**Navata. Parete sud.**
**Giotto (1267?-1337).**
*Allegorie delle Virtù e dei Vizi* **(1305 ca).**
*Carità.*

La bella figura della *Carità* veste una tunica a doppia cintura, e guarda verso il busto del Signore al quale porge il suo cuore, rappresentato con un realismo sorprendente. Si vede persino un pezzo della grande arteria cardiaca. Con la destra la *Virtù* offre agli uomini un piatto ricolmo di fiori e frutta. Si riconoscono fra gli altri rose, gigli, spighe di grano e melagrane. I fiori sono simboli mariani ed evocano la dedicazione della Cappella a Santa Maria della Carità; la melagrana può riferirsi sia a Maria che a Cristo, mentre il grano significa il pane della vita, l'Eucarestia. La Virtù è incoronata di rose, e il nimbo ha fiammelle rosse cruciformi in segno dell'amore per il Salvatore sacrificatosi per l'umanità. La *Carità* calpesta sacchi di monete per dimostrare il suo disprezzo dei beni mondani, e uno di questi contenitori si è rovinato e versa i denari.

*87 Nave. South wall.*
*Giotto (1267?-1337).*
**Allegories of Virtues and Vices** *(ca. 1305).*
**Charity.**

*The beautiful figure of* Charity *wears a robe with a double belt, and turns towards a bust of Our Lord to whom she offers her heart, depicted with alarming realism; even a section of the great heart artery is visible. With her left hand the* Virtue *holds out a plate loaded with flowers and fruit: roses, lilies, ears of corn and pomegranates. Flowers are Marian symbols and recall the dedication of the Chapel to Our Lady of Charity. The pomegranate could refer to either Mary or Christ, while the grain signifies bread, and the vine the Eucharist.* Charity *is crowned with roses, and her halo has cruciform flames symbolising the love of Christ in sacrificing himself for Man.* Charity *treads sacks of money underfoot to show her disdain for worldly wealth, and one bag has broken open to reveal the coins.*

**Navata. Parete nord.**
**Giotto (1267?-1337).**
*Allegorie delle Virtù e dei Vizi* **(1305 ca).**
*Invidia.*

Il Vizio, un'ossuta, grinzosa vecchia, sta in mezzo alle fiamme. Dalla bocca esce una serpe e le si ritorce contro per trafiggerla fra gli occhi ciechi. Dal turbante spuntano due corna curvate. L'*Invidia* guarda verso l'Inferno del *Giudizio Universale*. La mano sinistra tiene una borsa, e con la destra artigliata cerca di ghermire ancora di più. Ma l'Invidia è peggio dell'Avarizia e si consuma non solo per la sua avidità. Le è cresciuto un orecchio enorme da pipistrello perché vuole sentir parlare male degli altri.

*Nave. North wall.*
*Giotto (1267?-1337).*
**Allegories of Virtues and Vices** *(ca. 1305).*
**Envy.**

*The* Vice*, a bony, wrinkled hag is consumed by flames. A serpent comes out of her mouth and is turned to bite her between her blind eyes. Two curled horns emerge from her turban. Envy looks towards Hell in the* Last Judgement. *Her left hand holds a bag, and with her right clawlike hand is trying to grab even more. But Envy is worse than Greed and is consumed by more than just her avidity. She has a huge bat-like ear because she wants to hear evil spoken of others.*

**Navata. Parete sud.**
**Giotto (1267?-1337).**
*Allegorie delle Virtù e dei Vizi* **(1305 ca).**
*Speranza.*

Vestita come un'antica Vittoria, la *Speranza* vola verso l'alto per ricevere la corona di gloria portata da un angelo e per avvicinarsi al gruppo dei Beati nel Paradiso. La pettinatura dei capelli raccolti in uno *chignon* sporgente ricorda prototipi ellenistici.

**Navata. Parete nord.**
**Giotto (1267?-1337).**
*Allegorie delle Virtù e dei Vizi* **(1305 ca).**
*Disperazione.*

La personificazione della *Disperazione*, con capelli sciolti, pende soffocata da una sciarpa appesa a una piccola trave. Le mani si stringono in un ultimo gesto di decisione o ribellione. Un diavoletto è già pronto a tirare il Vizio verso la dannazione eterna.

**Navata. Parete est.**
**Arco trionfale.**
**Giotto (1267?-1337).**
**Due coretti (1304 ca).**

Al di sotto delle scene del *Tradimento di Giuda* (55) e della *Visitazione* (34) vediamo due parapetti a marmi chiari e verdi sormontati da colonnine e un arco gotico che si apre verso un coretto o una "cappella segreta". Dalla chiave della volta pende una lumiera di ferro a gabbia con piccole lucerne, e la fune con il suo anello finale ci indica precisamente come la lanterna potrebbe essere abbassata per aggiungere l'olio. Ogni coretto ha una bifora aperta sul cielo azzurro. Ai lati della finestra la parete di fondo è dipinta a monocromo con larghe lastre suddivise da orizzontali cornici sporgenti illuminate dall'alto e collegate con la decorazione della parete laterale a pannelli rettangolari. I due coretti sono simili, ma non uguali. Giotto, sempre attento all'effetto della luce naturale, dà più luminosità alla cappellina di sinistra esposta al chiarore proveniente dalle finestre meridionali, ed è logico che la parete laterale del coretto di destra debba apparire in penombra. Quasi come ricompensa della mancanza di luce dalla navata, in questa cappellina acquista più importanza la finestra dipinta che sembra in grado di illuminare dal basso le vele della volta.

*89 Nave. South wall.*
*Giotto (1267?-1337).*
**Allegories of Virtues and Vices** *(ca. 1305).*
**Hope.**

*Dressed like a ancient Victory,* Hope *flies up to receive the crown of glory brought down by an angel to bring the Virtue closer to the group of the Blessed in Paradise. Her hair gathered into a long, jutting* chignon *also recalls Hellenistic models.*

*Nave. North wall.*
*Giotto (1267?-1337).*
**Allegories of Virtues and Vices** *(ca. 1305).*
**Despair.**

*The personification of* Despair, *with loose hair, hangs choked by a scarf hanging from a small beam. The hands are wrung in a final decisive or rebellious gesture. A little demon is at the ready to drag the Vice down to eternal damnation.*

*Nave. East wall.*
*Triumphal arch.*
*Giotto (1267?-1337).*
*Two small choirs (ca. 1304).*

*Below the scene of the* Betrayal by Judas *(55) and of the* Visitation *(34) are two white and green marble walls surmounted by small columns and a gothic arch opening onto a tribune or "secret chapel". A wrought iron lamp with small wicks hangs from the centre of the vault; it has a rope with ring attached, shwing haw it could be used for lowering the lamp in order to refill it with oil. Each small choir has a mullioned window opening onto a blue sky. Beside the windows the back wall is painted in monochrome with large panels divided by jutting horizontal cornices lit from above and linked to the decoration of the side walls with rectangular panels. The two small choirs are similar but not identical. Giotto, always careful to exploit the effects of natural light, conceived the chapel on the left exposed to the southern sun as the brighter; obviously the side wall on the right chapel was bound to appear darker. To compensate for the lack of light from the nave, the painted window gains more importance appearing as it does to illuminate the vault from below.*

**93**

**Navata.**
**Giotto (1267?-1337) e bottega.**
**La volta.**
Nell'asse centrale della volta sono collocati i tondi con la *Madonna con il Bambino* e il *Salvatore benedicente*. Fanno corona sette *Profeti* e *San Giovanni Battista*.

Nelle fasce che suddividono la volta vediamo patriarchi e re dell'Antico Testamento spesso di difficile identificazione.

*Nave.*
*Giotto (1267?-1337) and workshop.*
*The vault.*
*The middle of the vault is decorated with tondi of the* Virgin and Child *and the* Christ. *They are surrounded by seven* Prophets *and* St John the Baptist.

*In the bands dividing the vault are Patriarchs and Old Testament kings who are not always easy to identify.*

**94**

**Navata. Volta.**
**Giotto (1267?-1337) e bottega.**
*Madonna col Bambino* **(1303-1305).**
Il dipinto che si colloca al centro della prima campata nella volta a botte della Cappella degli Scrovegni è stato staccato dal supporto originale e riposto in sito, subendo purtroppo gravissimi danni.

*Nave. Vault.*
*Giotto (1267?-1337) and workshop.*
**Virgin and Child *(1303-1305)*.**
*The painting is in the centre of the first bay of the barrel vault of the Scrovegni Chapel.*

*Removed from its original support and then replaced, it was unfortunately badly damaged in the process.*

**95**

**Navata. Volta.**
**Giotto (1267?-1337) e bottega.**
*Gesù Cristo* **(1303-1305).**
L'immagine del Cristo *Pantocrator* al centro della volta, simmetrico alla Vergine centrale sull'altra campata della Cappella (**94**), funge da perno all'intera composizione; intorno a lui i profeti e, sulle fasce che delimitano la volta stellata, le figure dei suoi antenati, da Abramo a Iesse, a Davide e ai suoi discendenti.

*Nave. Vault.*
*Giotto (1267?-1337) and workshop.*
**Christ *(1303-1305)*.**
*The image of* Christ Pantocrator *in the centre of the vault, symmetrical placed in relation to the image in the other bay (94), is the centre of the whole composition. Around him are arrayed the prophets and the ancestors of Christ, from Abraham to Jesse and David and his descendents, in the decorative bands of the starry sky.*

**96**

**Navata. Volta.**
**Giotto (1267?-1337) e bottega.**
*Isaia* **(1303-1305).**
L'iscrizione è leggibile per frammenti, ma non vi è dubbio che sia tratta dal libro di Isaia (7, 14): *Ecce Virgo concipiet et pariet filium et vocabitur nomen eius Emmanuele* ["Ecco la Vergine concepirà e partorirà un Figlio, che chiamerà Emmanuele"].

*Nave. Vault.*
*Giotto (1267?-1337) and workshop.*
**Isaias *(1303-1305)*.**
*The inscription is legible in fragments, but there is no doubt that it is taken from the book of Isaias (7:14):* Ecce Virgo concipiet et pariet filium et vocabitur nomen eius Emmanuele *["Behold, a Virgin shall conceive, and bear a son, and shall call his name Emmanuel"].*

**97**

**Navata. Volta.**
**Giotto (1267?-1337) e bottega.**
*Baruch* **(1303-1305).**
La carta del profeta si arrotola su se stessa formando uno splendido volume e al suo interno si legge un frammento tratto dal libro di Baruch (3, 36): *Hic est Deus noster et non aestimabitur alius adversus eum* ["Egli è il nostro Dio, e nessun altro gli può essere paragonato"].

*Nave. Vault.*
*Giotto (1267?-1337) and workshop.*
**Baruch *(1303-1305)*.**
*The prophet's pergament is rolling up making a marvellous volume. Here we read a text from the book of Baruch (3:36):* Hic est Deus noster et non aestimabitur alius adversus eum *["He is our God, and no other can be compared to Him"].*

**Navata. Volta.**
**Giotto (1267?-1337).**
*Malachia* **(1303-1305).**
Nel cartiglio si legge: *Et statim veniet ad*, tratto da Malachia (3,1): *Et statim veniet ad templum suum dominator* ["E subito entrerà nel suo tempio il Signore"].

**Navata. Volta.**
**Giotto (1267?-1337) e bottega.**
*Daniele* **(1303-1305).**
Il cartiglio sorretto dal giovane profeta ne riporta perfino il nome, prima di enunciare una sua profezia: *Daniel. Ipse est enim Deus vivens et aeternus in saecula. Et regnum eius non dissipabitur et potestas eius ... [usque in aeternum]* ["Daniele. Infatti egli è un Dio vivente ed eterno nei secoli. E il suo regno non sarà distrutto e il suo dominio durerà in eterno"]. (Dn 6, 27)

**Navata. Volta.**
**Giotto (1267?-1337) e bottega.**
*San Giovanni Battista* **(1303-1305).**
Il Battista è l'ultimo dei profeti, e il primo uomo a riconoscere il Cristo sulla terra; entra quindi tra le figure che annunciano la venuta di Gesù, come del resto lui stesso seppe fare: "Ecco l'agnello di Dio".

**Navata. Volta.**
**Giotto (1267?-1337) e bottega.**
*Profeta* **(Mosè o Ezechiele?) (1303-1305).**
I profeti che contornano la figura del Cristo *Pantocrator* nella volta della campata più interna della Cappella non mostrano i cartigli dove leggere una significativa profezia atta a identificarli, quindi il loro riconoscimento è in qualche caso problematico.

**Navata. Volta.**
**Giotto (1267?-1337) e bottega.**
*Profeta* **(Michea o Geremia?) (1303-1305).**
Michea preannuncia la nascita del Messia a Betlemme, ma il profeta potrebbe essere Geremia: la parziale calvizie sembra appartenere alla tipologia consegnata da una tradizione ormai affermata alla rappresentazione del grande profeta.

**Navata. Volta.**
**Giotto (1267?-1337).**

*Nave. Vault.*
*Giotto (1267?-1337).*
**Malachias *(1303-1305).***
*On the scroll we read:* Et statim veniet ad, *taken from Malachias (3:1):* Et statim veniet ad templum suum dominator *["and the Lord, whom ye seek, shall suddenly come to his temple"].*

*Nave. Vault.*
*Giotto (1267?-1337) and workshop.*
**Daniel *(1303-1305).***
*Before pronouncing his prophecy, the young prophet carries a scroll with his name on it:* Daniel. Ipse est enim Deus vivens et aeternus in saecula. Et regnum eius non dissipabitur et potestas eius ... *[usque in aeternum] ["Daniel. For he is the living God, and steadfast for ever, and his kingdom that which shall not be destroyed"]. (Dan 6:26)*

*Nave. Vault.*
*Giotto (1267?-1337) and workshop.*
**St John the Baptist *(1303-1305).***
*The Baptist is the last of the prophets, and the first man to recognise Christ on earth; he is therefore one of the figures to announce the coming of Christ, as himself said: "Behold the Lamb of God".*

*Nave. Vault.*
*Giotto (1267?-1337) and workshop.*
**Prophet *(Moses or Ezechiel?) (1303-1305).***
*The prophets surrounding the figure of Christ* Pantocrator *in the central bay of the vault have no identifying scrolls with significant prophecies. In same cases the recognition of their identity is therefore quite problematic.*

*Nave. Vault.*
*Giotto (1267?-1337) and workshop.*
**Prophet *(Micheas o Jeremias?) (1303-1305).***
*Micheas foretells the birth of the Messias in Bethlehem, but the Prophet might be Jeremias: a partially bald figure fits in with the iconography traditionally attributed to the figure of the great prophet.*

*Nave. Vault.*
*Giotto (1267?-1337).*

98

99

100

101

102

103

**Profeta (Geremia, Gioele o Zaccaria?)**
**(1303-1305).**

Il riconoscimento di questo profeta rimane problematico, e la mancanza di un cartiglio fra le mani comporta un'interpretazione che si affida alla tipologia fisica tradizionale, al colore delle vesti o ai gesti.

**Prophet *(Jeremias, Joel or Zaccarias?)***
***(1303-1305).***

*The identification of this prophet remains problematic as he has no scroll in his hands. We have therefore to relay to the traditional typology of his body, as well as the colours of the garments or the gesture.*

104-106

**Il presbiterio.**

La zona orientale della Cappella presenta un presbiterio coperto da volta a crociera, con un altare che ospita la *Madonna con il Bambino* di Giovanni Pisano, e che si conclude con un'abside pentagonale dove è collocato il sepolcro di Enrico Scrovegni. È decorato con un ciclo di *Storie di Maria* e immagini di *Santi* opera del cosiddetto "Maestro del coro Scrovegni". A Giusto de' Menabuoi sono invece attribuite due *Madonne del latte*. La zona inferiore ospita gli stalli del coro.

*The presbytery.*

*There is a presbytery at the east end of the Chapel with a cross vault, and a* Virgin and Child *by Giovanni Pisano on the altar. It has a pentagonal apse enclosing the tomb of Enrico Scrovegni and is decorated with* Scenes from the Life of Mary *and images of* Saints *by the Master of the Scrovegni Choir. The two paintings of the* Virgin of the Milk *are attributed to Giusto de' Menabuoi. The lower register holds the choir stalls.*

107

**Presbiterio.**
**Giovanni Pisano (1245 ca-*post* 1314)**
**e bottega.**
**Madonna con il Bambino tra due angeli**
***cerofori* (1305 ca).**

L'altar maggiore della Cappella degli Scrovegni ospita, appoggiate in parte sul bordo superiore del dossale, in parte su tre mensole foliate retrostanti, tre statue in marmo bianco apuano eseguite da Giovanni di Nicola Pisano. Al centro è collocata la figura (h cm 136) della *Madonna* stante, incoronata, che regge sul braccio sinistro il Bambino, rivolto verso la Madre in atteggiamento di affettuoso colloquio. Alle estremità del dossale si trovano due statue di *Angeli* cerofori, di dimensioni leggermente inferiori (a sinistra, h cm 124; a destra, h cm 126) che incorniciano la scena rivolgendosi verso il centro con un movimento simmetrico del corpo. Le opere presentano estesi resti di policromia verosimilmente originale. Gli *Angeli* presentano anche, nella parte posteriore, gli scassi, sottili ma profondi, per l'apposizione di ali metalliche oggi perdute.

La base dell'immagine della *Madonna col Bambino* reca la sottoscrizione apposta da Giovanni Pisano su tre lati, in eleganti lettere gotiche, che recita testualmente: DEO GRATIAS + OPUS / IOH(ANN)IS MAGISTRI NICOLI / DE PISIS ["rendiamo grazie a Dio + opera di Giovanni di Maestro Nicola da Pisa"].

*Presbytery.*
*Giovanni Pisano (ca. 1245-post 1314)*
*and workshop.*
**Virgin and Child with candle-bearing**
**angels *(ca. 1305).***

*The main altar of the Scrovegni Chapel houses three statues in white Apuan marble sculpted by Giovanni di Nicola Pisano. They are partly laid on three foliated brackets behind them. The central figure of the* Virgin *(136 cm) is crowned and she holds the Christ Child in her left arm; he is turned towards his mother as affectionately talking to her.*

*On both sides of the dossal, are two* Candle-bearing Angels *lightly smaller (left, 124 cm; right 126 cm). They frame the scene by turning symmetrically their bodies towardstowards the central figures. Extensive traces of, probably original, polychrome colouring survive on the three works. The* Angels *have also subtle but deep holes behind them, where metal wings, now lost, would have been inserted.*

*The base of the statue of the* Virgin and Child *bears this inscription sculpted by Giovanni Pisano on three sides, in elegant gothic lettering which reads:* DEO GRATIAS + OPUS / IOH(ANN)IS MAGISTRI NICOLI / DE PISIS *["We give thanks to God + the work of Giovanni di Maestro Nicola da Pisa"].*

*The group has been in its present position*

**5.** Gabriele Benvenisti,
Vincenzo Grasselli,
Barnaba Lava, *Sciografia
trasversale respiciente
il Coro* (1871), tav. IV,
Padova, Biblioteca Civica.

*5 Gabriele Benvenisti,
Vincenzo Grasselli,
Barnaba Lava,* Cut-away
transversal section
of the Choir *(1871), tav. IV,
Padua, Biblioteca Civica.*

La collocazione attuale risale alla fine dell'Ottocento; in precedenza il gruppo si trovava nella parete terminale dell'abside, poggiato su uno stretto ripiano posto al di sopra della tomba di Enrico Scrovegni, come coronamento della stessa.

**Presbiterio.**
**Maestro della tomba Scrovegni**
**(terzo-quarto decennio del sec. XIV).**
**Monumento funebre di Enrico Scrovegni**
**(1330-1340 ca), e particolare.**

Sulla parete di fondo dell'abside poligonale della Cappella si erge il monumento funebre di Enrico Scrovegni.

Sul sarcofago è collocata la camera funeraria, rettangolare, incorniciata da due figure di angeli alati reggicortina. Nella parte centrale della camera si trova la figura giacente di Enrico, piegata sul fianco destro, col capo poggiante su un cuscino. La figura, in marmo di non eccelsa qualità, presenta piccoli resti di doratura, mentre sul cuscino è ancora percepibile il motivo decorativo stellato originario. La parete di fondo della camera funeraria è occupata da tre stemmi scolpiti: al centro una croce gemmata di tipo "pisano", già ritenuta segno del Comune di Padova, oppure simbolo dell'Ordine dei Cavalieri Gaudenti al quale Enrico avrebbe aderito.

Sotto la tomba di Enrico è collocato un secondo sarcofago di minori dimensioni (non visibile dalla navata), poggiante su due mensole, costituito da due lastre in stucco frontali con cornici in marmo. La particolarità è data dall'utilizzo, per le cornici, di un marmo bianco formato da grossi cristalli, probabilmente greco e da ritenersi possibile materiale di spoglio da qualche monumento antico.

Questa tomba, priva di iscrizioni, a volte indicata come pertinente a Pietro, figlio di Enrico, è da identificare con quella della seconda moglie di Enrico, Jacopina d'Este, in quanto la sua posizione coincide perfettamente con quanto previsto per la propria sepoltura dalla stessa Jacopina nel suo testamento del 1365.

L'autore delle parti figurate della tomba, all'interno di una cronologia che ci sembra definibile fra il 1330 e il 1340 circa, è un maestro di alto livello qualitativo, in grado di raggiungere risultati che, sia nel volto del giacente, sia negli angeli, sembrano anticipare la raffinatezza della

*since the end of the 19th century; previously it was in the far wall of the apse, on a narrow shelf above the tomb of Enrico Scrovegni, as its crowning feature.*

*Presbytery.*
*Master of the Scrovegni tomb*
*(active ca. 1330-1340).*
*Tomb of Enrico Scrovegni*
*(ca. 1330-1340), and detail.*

*The tomb of Enrico Scrovegni stands against the far wall of the polygonal apse. Two angels pull back the curtain on either side of the sarcophagus to reveal the figure of Scrovegni lying on his right side with his head on cushion. The figure, in marble, not of the finest quality still bears traces of the original gilding and the starry decoration of the cushion has survived. Three carved coats of arms hang on the wall behind the tomb: the central one is a jewelled "Pisan" cross, once thought to be the symbol of the Council of Padua, or of the Order of the Knights Joyful to which Scrovegni belonged.*

*The figures on the tomb appear to date from the period 1330 to 1340. The high quality of the work both in the face of Scrovegni and in the realization of the angels anticipates the elegance of Venetian gothic sculpture at the beginning of the following century. The tomb with flanking angels, the fluid gothic treatment of the drapes and the realism of the portrait all however seem more inspired from Central Italian than Venetian models.*

*There is a second, smaller tomb below Scrovegni's (not visibile from the nave), resting on two stone brackets, with plaster decoration at the front and marble cornices. This marble is unusual, white with large crystals, and is probably Greek, taken from some ancient monument.*

*The tomb, with no inscription has been linked to Pietro, the son of Enrico, but is more probably the tomb of Jacopina d'Este, Enrico's second wife as it stands in the place designated by Jacopina herself in her will of 1365.*

*The sculptor of the figures of the tomb, chronologically placeable around 1330-1340 ca., is a master of very high quality. In his renderings of the gisant's face and the angels, he seems to anticipate the great refinement of the*

scultura gotica veneta dell'inizio del secolo successivo, ma i modelli di riferimento a cui questo scultore sembra ispirarsi appaiono più centro-italiani che non veneti.

**Presbiterio.**
**Porta di accesso alla Sagrestia.**

Si accede alla sagrestia attraverso un varco aperto sulla parete nord del presbiterio.

Sopra l'architrave della porta d'entrata una lunetta racchiude una piccola immagine del "Christus mortuus". Ne chiude l'accesso una bella porta in legno esternamente rivestita con grandi placche e borchie in ferro tinte di rosso minio.

Il vano presenta in chiave di volta un altezza di 6,40 metri e in pianta misura 4,60 × 4,90.

**Sagrestia. Parete ovest.**
**Scultore dell'Italia centrale (Marco Romano?).**
*Enrico Scrovegni* (1305 ca), e particolare.

La parete ovest della sagrestia della Cappella ospita un grande tabernacolo in pietra di forme gotiche, sormontato da una cuspide triangolare con al centro lo stemma della famiglia Scrovegni. Nella nicchia si trova la statua (h cm 180 ca) di un uomo la cui identificazione con Enrico Scrovegni è asserita dall'iscrizione apposta sul lato frontale della base (h cm 6,5; larghezza cm 41,5; prof. cm 35), che fa parte del blocco in cui è scolpita l'immagine: *Propria figura Domini Enrici Scrovegni militis de larena.*

La statua presenta Enrico in piedi, con le mani in preghiera, il volto con lo sguardo rivolto frontalmente in direzione dell'attuale finestra della sagrestia. L'immagine conserva estese tracce di policromia. Da poco tornata nella sua ubicazione in sagrestia dopo un periodo di esposizione nel Museo degli Eremitani, la statua si conferma, dopo il restauro, uno dei capolavori della scultura italiana del primo Trecento. La collocazione attuale è attestata già nel Cinquecento. La statua rappresenta Enrico giovane, con una fisionomia simile a quella del *Giudizio Universale*. Qualunque sia stata la sua funzione originale, la statua dovrebbe essere stata eseguita dal vivo intorno al 1305, sicuramente non dal maestro responsabile della tomba di Enrico (posteriore di almeno vent'anni). L'autore dell'opera è verosimilmente uno scultore centro-italiano, accostabile per alcuni aspetti a Marco Romano.

*Venetian gothic sculpture of the following century, but the models he is referring to are inspired from Central Italy more than Veneto.*

**Presbytery.**
**Sacristy door.**

*Access to the sacristy is through the north wall of the presbytery.*

*Above the architrave there is a lunette painted with a small image of the Pietà ("Christus mortuus"). The beautiful door itself is wooden decorated with bands and bosses in iron coloured with red lead. At its highest point the room is 6,40 m high and the ground plan measures 4.60 × 4.90 m.*

**Sacristy. West wall.**
**Roman sculptor (Marco Romano?).**
**Enrico Scrovegni *(ca. 1305), and detail.***

*There is a large, gothic, stone tabernacle on the west wall of the sacristy surmounted by a triangular pinnacle bearing the arms of the Scrovegni. The statue (ca. 180 cm.) within the niche has been identified as Enrico Scrovegni, an identification confirmed by the inscription on the front of the base (6.5; 41.5; 35 cm), which forms part of the block where the figure was sculpted:* Propria figura Domini Enrici Scrovegni militis de larena.

*The statue shows Enrico standing with his hands joined in prayer, his face lifted towards the sacristy window. Extensive traces of polychrome colouring survive. It has recently been returned to its place in the sacristy after being on display in the Hermitage museum.*

*Restoration has revealed the statue to be one of the finest pieces of early 14th-century Italian sculpture. It is recorded in its present position in the 16th century.*

*Enrico Scrovegni is shown as a young man and his features are similar to those in the portrait in the* Last Judgement. *Whatever its original purpose the statue must have been done as a portrait from life in about 1305, by an earlier master than the one responsible for the tomb, executed about twenty years later. The author of the statue of Enrico Scrovegni probably came from Central Italy and shows some of the stylistic features of Marco Romano*

**Padova, Musei Civici.**
**Giotto (1267?-1337).**
*Crocifisso* **(1303-1305).**

L'opera (tempera su tavola di legno di pioppo, cm 223 × 164) è dipinta su entrambi i lati. Di fronte si trova la figura di *Cristo*, sormontato dall'*Eterno* in atto di benedire. Nei tabelloni laterali, la *Madonna* e *San Giovanni*. Sulla base, il Golgota. Il retro, assai danneggiato, presenta al centro l'*Agnello mistico* accompagnato, alle estremità dei bracci, dai simboli degli *Evangelisti*. Una parte importante della discussione critica si è incentrata sui problemi relativi alla funzione pratica, nonché sulla sistemazione originaria. Due le ipotesi: secondo la prima, la sistemazione era su un'iconostasi posta sotto l'arco trionfale; per la seconda, invece, la sistemazione era a circa due terzi della navata, là dove ora si trovano addossati i due altari.

**Padua, Civic Museums.**
**Giotto (1267?-1337).**
**Crucifix *(1303-1305)*.**

*The crucifix (tempera on poplar wood, 223 × 164 cm) is painted on both the front and the back. On the front the figure of* Christ *is surmounted by* God the Father, *in the act of benediction. The side panels show the* Virgin and St John. *Golgotha is depicted on the base. The back is rather damaged but is painted in the centre with a figure of the mystical lamb with the symbols of the* Evangelists *at the extremities.*

*There is some critical debate surrounding its original function as well as its former placement. There are two theories: that it was placed on an iconostasis under the triumphal arch; or that it was hung some two thirds down the nave in line with the two side altars.*

# Bibliografia essenziale

## *Essential Bibliography*

S. BANDERA BISTOLETTI, *Giotto. Catalogo completo dei dipinti*, Firenze 1989.

D. BANZATO, *La Croce di Giotto dei Musei Civici di Padova. Ipotesi di collocazione originaria e precedenti restauri*, in *La Croce di Giotto. Il restauro*, a cura di D. BANZATO, Milano 1995, pp. 26-40.

G. BASILE, *Giotto: la Cappella degli Scrovegni*, Milano 1992.

E. BATTISTI, *Giotto*, Ginevra 1960.

C. BELLINATI, *Padua felix. Atlante iconografico della Cappella di Giotto 1300-1305*, Ponzano 2000.

L. BELLOSI, *La pecora di Giotto*, Torino 1985.

G. BONSANTI, *Giotto*, Padova 1985.

S. BORSELLA, *L'architettura, le trasformazioni e i restauri dalle origini alle soglie del XXI secolo*, in *Il restauro della Cappella degli Scrovegni. Indagini, progetto, risultati*, a cura di G. BASILE, Milano 2004, pp. 171-182.

M. BOSKOVITS, *Giotto: un artista poco conosciuto*, in *Giotto. Bilancio critico di sessant'anni di studi e ricerche*, catalogo della mostra, Firenze, Galleria dell'Accademia 6 giugno-30 settembre 2000, a cura di A. TARTUFERI, Firenze 2000, pp. 75-94.

C. BRANDI, *Giotto*, Milano 1983.

E. CARLI, *Giovanni Pisano*, Pisa 1977.

*Carte Foscari sull'Arena di Padova. La " Casa Grande" e la Cappella degli Scrovegni*, a cura di E. BORDIGNON FAVERO, Venezia 1988.

B. COLE, *Giotto: the Scrovegni Chapel, Padua*, New York 1993.

S. COLLODO, *Origini e fortuna della famiglia Scrovegni di Padova*, in "Archivio storico italiano", in corso di stampa.

E. COZZI, *Giotto e bottega al Santo: gli affreschi della sala capitolare, dell'andito e delle cappelle radiali*, in *Cultura, arte e committenza nella basilica di S. Antonio di Padova nel Trecento*, Atti del Convegno internazionale di studi, Padova, 24-26 maggio 2001, a cura di L. BAGGIO, M. BENETAZZO, Padova 2003, pp. 77-91.

*Da Giotto al Mantegna*, catalogo della mostra, Padova, Palazzo della Ragione 9 giugno-4 novembre 1974, a cura di L. GROSSATO, Milano 1974.

*Da Giotto al Tardogotico. Dipinti dei Musei Civici di Padova del Trecento e della prima metà del Quattrocento*, catalogo della mostra, Padova, Musei Civici 29 giugno-29 dicembre 1989, a cura di D. BANZATO e F. PELLEGRINI, Roma 1989.

F. FLORES D'ARCAIS, *Giotto*, Milano 1995.

*Giotto e il suo tempo*, catalogo della mostra, Padova, 25 novembre 2000 - 29 aprile 2001, a cura di V. SGARBI e M. CISOTTO NALON, Milano 2000.

D. GIOSEFFI, *Giotto architetto*, Milano 1963.

I. HUECK, *Zu Enrico Scrovegnis Veränderungen der Arenakapelle*, in "Mitteilungen des Kunsthistorischen Institutes in Florenz", 1973, 17, pp. 277-294.

G. PREVITALI, *Giotto e la sua bottega*, ed. a cura di A. CONTI e G. RAGIONIERI, Milano 1993.

A. M. SPIAZZI, *Padova*, in *La pittura nel Veneto. Il Trecento*, a cura di M. LUCCO, Milano 1992, pp. 88-177.

*The Cambridge Companion to Giotto*, a cura di A. DERBES, M. SANDONA, Cambridge 2004.

# Italiæ

...vatore Settis

*...mondo ammira*
*...ondo ha mai fatto*

PANINI

59  343572 – Fax 059  344274

rancopanini.it

**Palazzo Te a Mantova**
di Amedeo Belluzzi
*due volumi*

**Il Duomo di Modena**
a cura di Chiara Frugoni
*tre volumi*

**La Basilica di San Pietro**
**in Vaticano**
a cura di Antonio Pinelli
*quattro volumi*

**La Basilica di San Francesco**
**ad Assisi**
a cura di Giorgio Bonsanti
*quattro volumi*

**La Villa della Farnesina**
**a Roma**
a cura di
Christoph Luitpold Frommel
*due volumi*

**La Cappella degli Scrovegni**
**a Padova**
a cura di Davide Banzato,
Giuseppe Basile,
Francesca Flores d'Arcais,
Anna Maria Spiazzi
*due volumi*

13 titoli in 31 volumi stampati su carta
patinata opaca formato cm 24 x 31.
Legatura in raso di seta nero con
impressioni in oro su plancia e dorso.
Cofanetto rigido rivestito in raso
di seta con impressioni in oro e icone
applicate a mano.

# La Basilica di San Francesco ad Assisi

a cura di Giorgio Bonsanti

*testi di* G. Bonsanti, M. M. Donato,
G. B. Fidanza, A. Franci, A. Iacuzzi,
P. Magro, F. Martin, L. Meoni,
P. Mercurelli Salari, A. Monciatti,
E. Neri Lusanna, R. P. Novello,
G. Rocchi Coopmans de Yoldi,
G. Ruf, G. Sapori
*fotografie di* E. e S. Ciol, G. Roli, G. Ruf

*volume primo, tomi primo e secondo*
**Atlante Fotografico**
pp. 1264; 2413 illustrazioni a colori.
*volume secondo, tomi terzo
e quarto*
**Testi. Saggi e schede**
pp. 720; 282 illustrazioni
in bianco e nero.
**€ 990,00** [7686-807-0]

*La Basilica di San Francesco
ad Assisi è uno dei monumenti più*

*insigni d'Italia, uno scrigno
di capolavori legato soprattutto
al magistero pittorico di Cimabue,
Giotto, Simone Martini e Pietro
Lorenzetti. L'opera illustra l'intero
patrimonio artistico della Basilica,
mostrando gli affreschi danneggiati
o distrutti durante il terremoto
del 1997 sia nel loro stato
originario, sia dopo il recente
restauro.*

FRANCO COSIMO PANINI
Viale Corassori, 24 – 41100 Modena
Tel. 059 343572 – Fax. 059 344274
E-mail: info@fcp.it
www.francopanini.it

# Mirabilia Italiæ
### Collana diretta da Salvatore Settis
*I monumenti che tutto il mondo ammira
mostrati come nessuno al mondo ha mai fatto*

Fotolito
Vaccari Zincografica, Modena


Finito di stampare presso
F.G. Industrie Grafiche, Modena
nel mese di marzo 2005